你本天生有翼，何须匍匐前行

随风 著

北方文艺出版社

图书在版编目（CIP）数据

你本天生有翼，何须匍匐前行 / 随风著 . -- 哈尔滨:
北方文艺出版社，2019.7
ISBN 978-7-5317-4532-7

Ⅰ . ①你… Ⅱ . ①随… Ⅲ . ①成功心理 – 青年读物
Ⅳ . ① B848.4-49

中国版本图书馆 CIP 数据核字（2019）第 094866 号

你本天生有翼，何须匍匐前行
Niben Tiansheng Youyi, Hexu Pufu Qianxing

作　者 / 随　风

责任编辑 / 富翔强　徐　昕
装帧设计 / WONDERLAND Book design 仙境 QQ:344581934

出版发行 / 北方文艺出版社
发行电话 /（0451）85951921 85951915
地　址 / 哈尔滨市南岗林兴街 3 号
邮　编 / 150080
经　销 / 新华书店
网　址 / www.bfwy.com

印　刷 / 天津旭非印刷有限公司
字　数 / 135 千
版　次 / 2019 年 7 月第 1 版
开　本 / 880 × 1230　1/32
印　张 / 8
印　次 / 2019 年 7 月第 1 次印刷

书　号 / ISBN 978-7-5317-4532-7
定价 / 42.80 元

序言

大胆爱，放心做

不知道你有没有经历过这样的阶段，就是一个有很多很多梦想的时期，一会儿觉得自己会成为在实验室里摇晃着试管的科学家，一会儿觉得自己会成为在国际政治舞台上挥斥方遒的外交家，一会儿觉得自己画画挺不错，一会儿又觉得好像舞蹈也挺好的……

这些人生的可能性，我都想过，但最终我没有从事其中任何一个这样“梦想”中的职业，也没有成为任何一个“家”。

就像有个段子说的那样：刚上小学时，我们觉得哈佛就在眼前，上了初中想着“清北”也不错了，到高中时想考个重点大学，后来发现能考上大学就挺厉害了。我们想要的东西，一点点地被现实修正，最后理所当然地成了一个平庸的人。

于是当某个人说他想成为一个怎样的人的时候，周围的人会习惯性哈哈大笑，笑他太过天真，笑他初生牛犊不怕虎。可我觉得这好像并没什么好笑的，因为你实现不了的东西，不代表别人实现不了，那些看似遥不可及的梦想，也不是一点希望都没有，而是当时的你，还配不上那点希望。

这就是我写这本书的初衷。很多人在对自己说了太多的不行之后，看看四周，然后继续去否定别人。是时候停一停了，放开心怀，去看看别人，去看看更好的世界，将内心的那点卑劣彻底消灭。

我终究没有成为某个“家”，可是我很喜欢自己目前的生活，因为我很清楚自己眼下的生活是从何而来的，我努力过，这是我努力的结果，我看得见自己在奔向何方，而不是浑浑噩噩地活在当下。

或许我们最终的样子，没有一开始设想的那么优秀，但人生不就是一个逐渐发现自己不行，然后逐渐放弃的过程吗？更是一个不断找寻自己适合做什么，并且努力奋斗让自己去靠近那个目标的修正过程。

当寻到那个喜欢的目标之后，我们便再也不会像小时候那样异想天开了，也不会随随便便说换就换，因为你内心的声音会告诉你，那就是你想要的东西，那就是你要走的路。说这是使命的召唤太过神圣，可是我相信，很多人的骨子里，都藏着这样的声音，只是后来被生活的琐碎和别人的流言蜚语磨得多了，就渐渐地只能听得到喧嚣的声音，听不见那个呼唤的声音了。

多么可惜啊！我多么希望现在的我们，可以少一些遗憾，多一些快乐。快乐来自哪里？来自你所追求的那个东西。

光有野心却不行动，你会觉得焦虑和痛苦，觉得眼前的生活根本配不上你的格调，那是因为你知道自己想要的是什么，却将希望寄托给了天降馅饼，你自己也很清楚，希望渺茫，可是除此之外，你也不知道该怎么做。

你觉得努力太慢，奋斗太远，可是在人生这场马拉松里，唯一的捷径就是用最笨的方法去敲开梦想的大门。聪明的人不怕浪费时间和精力，因为他们知道，他们付出的一切，都写在最终的答案里。

也有人告诉我，他们活得很努力，却活得很累，也看不到什么结果，因为也有好多人不明白自己想做什么，只能被时代的洪流裹挟着随波逐流。这么做有用，就急急忙忙“这么做”，那么做更好，又急急忙忙地赶往下一处。你应该先审视一下，这样做真的是在努力吗？

别只是让自己看起来很忙，好像不这么做的话，就会显得自己跟不上大家的脚步。可那么多人的脚步，你又怎么能做到一个个地跟过去呢？停下这慌乱的脚步吧！别害怕暂时的落下，因为你总要在众多的脚步中找到属于自己的脚步以及节奏，只有这样，你迈出的每一步才是有意义的。

我们生于这繁复的世间，最合情合理的自洽方式，就是让我们的努力配得上我们的野心。到了那个时候，野心也不再是一个难以启齿的词，也不是一首随便唱唱的歌，而是你说出来就能感觉到力量的一个词。它告诉你，还没到放弃的时候呢；它告诉你，再坚持一会儿就好了。

每一个不曾努力的日子，都是对生命的辜负。不知道有没有人曾告诉过你，你努力的样子很美，但这里有一个大的前提——有方向感的努力才是最棒的。如果没有，那你就要停下来一会儿反思反思了，方向明确之后你的努力才能更高效。

相信你，一定能够在自己的人生路上，找到努力和野心的自洽点，你不必一定要功成名就，当你摆脱传统意义的成功之后，实现你自己所喜欢的目标之后，一定会因为这种自洽而变得更加安定与从容。

目 录
contents

第一章

你总说自己太累，可谁又活得顺风顺水

第二章
没有你想要的拥抱，也可以一个人坚强

第三章
你尽力了，何必说自己运气不好

第四章

天真的人，大多能走得更远

第五章

只要有坚硬的坐标，就能改变生活的模样

第六章

我就想这样放肆地活一次

后记

第一章

你总说自己太累，可谁又活得顺风顺水

成为自己才最棒，你无须活在别人的期待里

前不久金球奖颁奖典礼，一个要颜值没颜值，要背景没背景的47岁“大妈”斩获最佳女主角，成为首位亚洲金球视后。这位“大妈”叫吴珊卓，但更多的人记住的是“女版林永健”“林永健妹妹”这样的称呼。

都说美的人千篇一律，丑的人却各有各的丑法。按照我们传统的审美观念，像吴珊卓这样的“颜值”混娱乐圈肯定不会有什么出头之日，她家境殷实，家人都不支持她的选择，如果换一条路走，便可以轻易地获得世人眼里所谓的成功。但她偏偏选择了一条最难走的路，经纪人建议她整形，直言以她的外貌是拿不到女主角片约的。

虽说经纪人的话是好心劝诫，但是直白得让人想要自闭。吴珊卓的内心很坚定，她还是决定走自己的路。经纪人的话就像一

语成谶，她在好莱坞浪费了大好的青春，一直都是在客串，这要感谢她那张有特色的脸，因这张脸她倒没有一直被好莱坞拒之门外，倒是在表情包中成功地火了起来。

吴珊卓的心态好，别人调侃她，是希望她能够知难而退，她就跟着自我调侃，但这是她给自己灌的一碗鸡汤，在成为演员的路上，她从未妥协过。《杀死伊芙》是吴珊卓第一个担任主角的剧本，她靠这部获得一致好评的电视剧直接问鼎金球奖——一个仅次于奥斯卡的重要奖项。

当人们还在给她贴长得像林永健的标签，可是在其他人还没活明白的时候，她就已经成了最好的自己。

在吴珊卓的人生中，有太多的人为她规划人生路线了，律师，医生，或者去整容换一张更好看的脸……毫无例外他们都是在对吴珊卓想要的人生说NO（不）。可她就是在众多不看好的声音中坚持了下来，她说："做自己想做的事情最开心，成为自己不代表会成为人生赢家，但一定会活得开心。"

做自己，少看别人的眼色行事，大概就是吴珊卓每天笑容灿烂的原因吧。与之相对的，也有一些生活在大众视野中的明星，因为努力想要成为别人期待的样子，搞得自己精神崩溃。

就像主持人吴昕，在她主持《快乐大本营》之后，观众吐槽无数，跟何炅、谢娜他们一对比，自以为优秀的吴昕也跟随着节目观众的贬低产生了自我怀疑，“我是不是不适合当主持人？我是不是真的一无是处？”

她努力变得更好，可是外界的批评依旧不断，“这些年她还是毫无长进”。“快乐家族中最讨厌的人，拉低了水准”。这些声音让她焦虑、迷茫，她按照大家的要求去改变，可依旧得不到什么认可，人们只会提出更多的要求。

一定的压力可能会成为动力，但是过度的压力，只会让人爆炸。压力大时，吴昕只敢在深夜里痛哭，她甚至不敢去看网友们的评论。直到现在，回想起那段时光，她都会难以抑制自己的悲伤。

好在时间教会了她一项重要的技能：去无视别人的声音，去拒绝别人的期待，成为自己就已经很好了。

转换心态之后，吴昕再面对“快乐家族中的背景板”这样的贬低时便能够淡然应对了，她不再卖弄努力的人设，而是坚持自己最原本的样子，土怎么了？她笑得最自然！走平民路线，逆风翻盘，成为带货女王，更是得到了观众的一致认可。

而这时候，她也恍然大悟，如果我们一直去回应不喜欢她的人的期待，不满意的人始终不满意，做回自己，喜欢她的人更不会因此而离开。

现如今流行人设，于是娱乐圈的明星们小心翼翼地维持着，就怕暴露出什么缺点，被人指责人设崩了、要脱粉等等。

做自己很难，这才显得真性情可贵。人设崩塌容易招黑，可一直以自己最真实的样子出现在公众视野中的人就没有那样的烦恼了。是什么样子就以什么样子出现,或许最初会出现反对的声音，可时间长了，越是真实的明星，越受观众的欢迎。

何止娱乐圈如此，就是很多普通人，也在成为别人期待的样子和成为自己中挣扎着。

阿星从小到大，贴着的都是“别人家孩子”的标签，品学兼优不说还在国内前十的学校学法律，将来正好继承她律师爸爸的事务所，前途可谓一片光明，所有人都对她的未来充满了期许。

可读完一个学期之后，她果断地转到了冷门的动物医学专业，等办完所有手续之后才告知家人。做完这一切后，阿星长长地松了一口气。她一点儿都不喜欢学法律，在家里就已经被灌输了太多跟法律有关的东西，这让她觉得压抑，她不断地挣扎想要从家里的这种氛围逃离，她希望呼吸到的空气是自由的。虽说她是在传统“家长权威至上”的家庭中长大，但却一直积蓄着成为自己的力量。

“其实很久以前，我就想，像一个叛逆的孩子一样翘课、拒绝考试，去做自己想做的事情。以前没有勇气，现在我做到了。跟猫猫狗狗打交道挺有意思的，但是我家里不让养。我可能没办法成为像我爸爸一样成功的人了，但是每天我都会觉得很开心。”阿星说。

有人说阿星这样的行为是叛逆期来得较晚，但是我觉得不是，这更像是内心破茧重生的样子。外界的期待将她层层包裹，大部分情况下，她可能就要成为别人期待的模样了。这没什么不好，至少走出去也是别人眼中的精英。可阿星内心的声音更嘹亮，在这声音的呼唤下，她终于突破了“别人期待的样子”的束缚，接下来的人生，由她自己做主，这才是最棒的。

叛逆是不考虑后果地反抗，他们压根不会去想未来的路要怎么走。而成为自己想要的样子，懂得反抗是一方面，知道自己在干什么、想要干什么才是最重要的，这样的人自有内驱动力，哪怕后面的漫漫长路需要接受不理解和非议，需要忍受孤独，他们也有足够的力量去抵御这些。

对抗从来不是他们的目的，只是他们的一种手段，成为他们想要成为的人才是最终目的。

一开始，阿星的父母的确不能接受她突然转专业，觉得她将自己的前程当成儿戏，会毁了她自己。只听说过有人往热门专业去的，很少见有人从热门专业往冷门专业去坐冷板凳的。

可阿星铁了心就是不换回来，她的父母也就无奈，不再插手了，准备冷眼旁观，如果阿星只是一时兴起，过不了多久就会磨光兴趣，到时候就是没人劝说，她也会自己回来的。

没想到阿星比他们想象中的执着。转专业伴随着种种困难，隔行如隔山，她有太多的东西需要学习，稍不小心就会落下很多课程。阿星害怕被家人看到她灰头土脸的样子，越发努力。就在这样的努力与坚持下，她每个学期都是专业第一名，大三的时候就被导师带到一家非常大的宠物医院实习了。

“有时候的确会怀疑自己的选择是否正确，怀疑自己根本不适合当一个宠物医师，压力最大的时候，我经常失眠还伴随着掉头发，后来干脆破罐子破摔地想，既然都已经走到这一步了，索性就接着走下去吧。还好坚持下来了，不然这辈子一定会在这个事情感到遗憾。”

现在阿星的家人也都接受了她的选择，她的心思现在都在宠物上面，做得也还不错，做父母的还有什么理由去阻拦呢？而她妈妈更是被她感染，发现了养宠物的好处，自己也养了一只小柯基，大有要把她这个女儿忘在脑后的趋势，这是阿星最新的甜蜜烦恼。

阿星是成功了，却依旧有很多活在“别人期待”阴影下的人。

自己的内心稍微有那么一点小小的冲动，却很快就被外界“期许”的眼神给吓了回去。再后来,他们习惯了生活在这些“期待”之下，再也没有勇气去挣脱了。他们不像是独具个性的人，反而像是一个个成功的“模板”。

那些给你“眼神”的人可能是出自善意,像长辈一样“为你好”，可是如果这样的眼神是在扼杀你的可能，请大声地拒绝。别人的意见是好，但是我想你还是更想听到自己的声音，这个声音无论是平凡还是伟大，一定都是最灿烂的。

过着别人眼中“羡慕”的生活，并不一定就是幸福的生活。你想要成为什么样子，只有你自己知道，如人饮水，冷暖自知。

年轻的时候总想着要回应周围的人的期待，后来才发现，人生短暂，能做到回应自己内心的期待就已经不辜负这一生了。别让别人的期待成为你的压力，别让那些压力压垮你的灿烂人生。

吹嘘这么多朋友，你一定很虚弱吧

以前认识一个人，最爱吹嘘他的朋友有多么厉害，就连他提起自己的成就的时候，他都会吹嘘朋友们的事迹，这让人不得不好奇,似乎每个领域他都有几个佼佼者的朋友。可与他的“朋友们”相对的是，他现在还不怎么如意地生活着。

后来大家都明白了，其实他只是想要借他的朋友们来挡住别人对他生活的窥视，挡住那些不经意间流露出来的不如意。可是他越吹嘘，就有越多的问题暴露出来。

就像我有时候跟朋友调侃，我现在真的是日理万机：早起的时候“中国移动”催促我确定合作事宜——需要交话费了；下午又要跟“中铁”签一个大单——去乘一趟火车而已；然后又有“中石油”的合作等着我——汽车该加油了。

可惜这也只是自嘲而已，就像我可以说认识马云，认识刘强东一样，我认识他们，但对方压根儿就不知道我的存在，也不知道我对他们的事业做出的“巨大”贡献，也是没辙。

露露在一家外企上班，她所在的部门基本上都是女生，而且还都单身，所以周末的时候几个人都会聚一聚。姑娘们的聊天内容，除了工作之外，无非就是化妆品、包包和衣服这些。同事A说她有个闺蜜在韩国做代购，在闺蜜这里买化妆品特别便宜；同事B说她有个大学室友嫁入了豪门，可以帮忙在原产地买奢侈品，免掉的税都可以让她再买一个香奈儿包包了。

每当同事聊这些的时候，同事C都不怎么说话，安静地听她们聊着，于是另外两个同事就非常热情地说：“C你是没有朋友帮忙吗？早说啊，你想买什么我可以跟我朋友说一下，我的朋友也是你的朋友，都是照着基础价来的。像化妆品这些东西，老是用国产的也没意思。”

据露露说，C总是会客套地应付她们，却从没有提过让她们帮忙带东西的意思。倒是露露听她们这么热情，一个没忍住，就请她们帮忙带了一套化妆品，不过所谓的“基础价”，其实跟“淘宝”上卖得差不多，后来她也就歇了再在朋友那里买化妆品的心思了。

过了一年，公司更换发展方向，她们所在部门在新规划中被全员裁撤了，四个人集体同时失业。虽然公司也提供了另外的岗位，但薪酬福利跟之前的完全不能比，因此她们四个人都没有选择留下来。

离开公司之后，露露便开始忙着找工作了。从招聘会场出来的时候，正好碰见了前同事C。离职之后，她们之间的联系还是有的，只是聚会之类的活动很少了，C平时就比较少说话，所以露露不怎么了解她的现状。

看到她也在招聘会场，露露赶紧跟C打招呼，“好巧，你也是来找工作的吗？”

“我只是刚好路过。”C看着露露一脸疲倦的样子，突然说，“我有个朋友正在招人，如果你愿意的话，我可以推荐你过去试试。”

露露将信将疑，C有这么大的能耐能够介绍她吗？但为了早日找到工作，抱着“瞎猫撞上死耗子”的心态，露露就去了C给推荐的企业，结果发现，她还真的没有失言，薪酬待遇跟之前的公司差不多，虽然规模不如后者，但是有发展潜力，绝不是露露开始想象的那种黑心单位。

露露为自己之前的恶意揣测感到不好意思，工作稳定了之后，就请C吃饭，算是答谢。然后她有些好奇地问，“你的工作能力比我强，如果你去面试的话肯定能行的，为什么要推荐给我呢？”既有能力又有人脉，还将大好的机会往外推，这也太怪异了吧？

C却有些不好意思地说："我已经找到了工作了。"

露露恍然大悟，同时她也了解到，C靠自己的能力进了世界五百强公司，自然也就拒绝了朋友伸出的橄榄枝。她以前看露露的工作能力也不错，大家同事一场，就将露露介绍了过去。不过担心她会多想，C也就没有多解释。

虽然露露后来还是跳槽了，不过依旧感激C的雪中送炭，也时常感慨，原来那些真正有朋友的人，并不是那种时常将自己的人脉圈子挂在嘴边的人。C不声不响地进了世界五百强公司，如果放在前同事A和B身上，不知道会被她们提起多少次呢。据露露所知，直到她进了C朋友的企业，A的那个做代购的朋友也没有帮到她什么忙，B的"富婆"朋友也是百般推脱，反正两个人还在为找工作的事情而着急呢，甚至还有点儿后悔，早知道就不该辞职了，留在原来的公司，虽然待遇变差了，但至少还有份工作呢。

因为心态的转变，露露也没有在她们的聊天小群里提起这件事。只是后来她们问起来了，她才平淡地说自己已经找到了工作，果不其然她们两个便猜测地问露露，"你是不是在那里有关系啊？之前都没有跟我们说，太不把我们当朋友了。"

露露无奈地笑，然后心里说，真正有关系的人，是C，只是她低调而已。她本人就有能力，所以根本就不需要显摆什么关系，而真正的朋友，永远都会在你需要帮忙的时候出现。只是这话，没有说出来的必要罢了。

跟露露聊了这件事之后，我想到了在学生时代遇到的一个女生，姑且叫她珊珊吧。珊珊是一个很喜欢出风头的人，努力地想要取得某些成绩，加入了不少社团组织，非常活跃。按理说，一个活泼开朗的女孩子，再怎么也不会太招人讨厌。但可能是因为性格太过强势的原因，大部分人不怎么喜欢她。

冷场次数多了，渐渐地珊珊也察觉到了自己被排挤的现状。但是她很不甘心，觉得大家不喜欢她的原因是，因为之前她没有展露出足够的实力，于是她逢人便谈，自己曾经有多么多么优秀，跟她差不多的朋友，现在都在哪些平台……反正核心意思就是，自己是一个非常优秀的人，你们如果要跟我打好关系的话就赶紧的。

可是被讨厌的情况却一点儿都没有好转。然后珊珊又改变了策略，“既然你们不喜欢跟我交朋友，那我也不稀罕和你们交朋友”，在社团聚会的时候，珊珊会在大家聊天的空隙突然插上一句，“哦，我的朋友从来都不会这么毒舌，她们只会给我想办法，像你这位朋友，也太过分了吧？”

这个时候，大家不好表现得太过明显，只好“呵呵”以对。而如果珊珊是在社团组织的群里面说她的朋友又如何如何了，大家更是会直接无视她的话。过分一点的会直接拉着平时玩得好的几个人，然后开始疯狂地吐槽珊珊这人是不是有毛病？不管她有没有这样的朋友，她这种“晒”朋友的方式，却引起了大家的极度反感。

后来选部长，珊珊的确是做了不少工作，但因为被大家所讨厌便没有选上，她黯然离开之后开始专注于学习，退了社团的群，路上遇到了社团里面的朋友，也不再打招呼。珊珊离开之后，有人再提起她，突然说，“我们那么做，会不会太过分了一点儿？”

马上就有人回答：“不是我们太过分，而是她本人太虚弱，情商太低。她想要跟大家交朋友，却喜欢将自己摆在一个高高在上的位置上，然后‘显摆’她有很多厉害的朋友，这是一般人交朋友的方式吗？显然不是。卖惨让人讨厌，可像她这样用那种一眼就能看穿的伪装来掩饰自己弱点的，更加可怜。”

一语中的，这话直接就指出了珊珊的可怜却也可恨之处。谁还没有几个靠谱的好友呢？偏偏珊珊非要反复地提起，来证明她并不像那些流言蜚语所传的“人缘差”，可事实上，就像朋友圈里老是秀恩爱，晒孩子的人是最容易被讨厌的那样，珊珊的这种行为，在别人的眼中，也就像是一个笑话，大家将这种人归为一种病症：缺什么，就爱炫耀什么。

后来，我再也没有见过珊珊了，也不知道她是否改掉了这个毛病。生活中，除了珊珊之外，还有无数的“珊珊”在重蹈覆辙。说到底，与其让别人知道你的朋友有多么好，不如让大家知道你有多么好，唯有这样，才会有更多优秀的人成为你的朋友。

好了，我已经知道了你的A朋友很厉害，你的B朋友已经走上了人生巅峰，你的C朋友……可是你呢？朋友，相信我，当你足够强大，当你的朋友足够多，你不会再忙着吹嘘你的朋友们的，因为你就像你所认识的人那样忙着优秀，不需要你说什么，别人自然能够看见。

懂得“有差别地对待”，就不会太累

小乐是一个对朋友特别豪爽的人，谁有困难，第一时间去帮忙的就是他。平时周围的人提起他，没有一个不竖起大拇指点赞的。

他本人也喜欢结识来自五湖四海的朋友，游戏、抖音、朋友圈都可以成为他的交友平台，今天这个朋友过来，明天那个朋友过来，他总不吝啬，该请吃饭就请吃饭，朋友来当地玩出于东道主的责任，他都会带人玩一圈。月底算算开支，发现“交朋友”这一项已经花掉了他大半个月的工资，都快成为他“月光”的罪魁祸首了。

小乐对这事看得挺开的，反正他还没有女朋友，一点小钱换几个真心朋友，也不枉他的付出。他自己也乐在其中，虽然也有朋友想劝他不要总是这样，但没有足够好的立场也不好开这个口。小乐去出差，不管到哪个城市，总能轻松攒起一个局，获得了不少朋友惊讶敬佩的眼神之后，他对这样的生活就更满意了。

直到小乐遭遇一次意外，急需用钱。他找了不少朋友借钱，大部分他找过的人都拒绝了他，借口非常蹩脚，什么自己生了重病；手头紧；自己还欠了钱等等。小乐直到现在发现，原来拒绝别人借钱的理由有这么多。唯有少部分的朋友伸出援手，帮他渡过了难关。

小乐性格豁达，自己为那些找借口没借钱给他的朋友找到了理由：每个人对钱的观念不同，有的人比较在乎身外之物，不愿意借钱也是可以理解的。可等风波过去之后，小乐想跟朋友们说说他这段时间的遭遇，倒倒苦水，却发现朋友们一个个对他必避之不及，更是有人直截了当地说："我不喜欢听这个，你换个话题吧！"

小乐当时就愣住了。

他不强求朋友借钱给他，就连听听他的抱怨都不可以吗？这些人中，有些遇到麻烦向小乐求助的时候，小乐可是没少花时间也没少花钱，怎么一反过来，一切都变得不同了？

自此，小乐便对友谊这个词产生了极大的怀疑，他也见识到了"塑料兄弟情"是什么样子的。

我告诉他，"不是你选择友谊是错的，而是你把所有人都归为朋友这件事有问题。朋友本身是没有问题的，但是朋友是要有分类的。”

“朋友还要分类，那样不是很功利吗？”小乐马上就说。

说功利也没错，可是千万别因为功利，就对此避之不及，最纯粹的友谊，或许就是用功利的方法检测出来的。

小乐完全没有必要对友谊感到失望，这个世界上有“塑料朋友”，也有真正的铁杆朋友。在小乐处境艰难的时候，有人袖手旁观，也有人会感念他以前的“仗义”，不在乎他能不能还上，先把钱给垫上。

为什么会这样呢？因为本来就是不同类型的朋友啊，有的只是把他当成可以一起玩的朋友，有的却把他当成可以聊人生谈理想的朋友。跟酒肉朋友谈人生之艰，人家不愿意被他破坏了闲聊的好心情，当然不待见他了；而跟自己的知己朋友闲聊乱侃，更是没有必要。

用不同的方式对待不同的朋友，不仅是为自己好，也是为朋友好。

小乐听完之后似懂非懂。

我便问小乐：“就这么说吧，你维持这么多的朋友，会不会觉得累？”

小乐有一种被我戳中了心事的赧然，他说：“有时候身心俱疲，钱包也撑不住。但不坚持这么做，总感觉对不起那么多的朋友。”

“是啊，对你来说，维持这么多朋友很辛苦，对别人来说也是一样的。所以他们知道要区别对待，对于点头之交，几乎没有人傻到会两肋插刀吧？不是说他们太冷漠，只是交情没到而已。对不熟的人没有距离，人家不见得会开心，反而会觉得尴尬和不适应。”

友谊本来是一种可以让人心情愉悦、变得更好的东西，什么时候竟然差点成了要把人压垮的最后一根稻草呢？

人的精力毕竟有限，维护那么几段极好的友谊就已经很辛苦了，把所有朋友“一视同仁”，除了把真正的好友越推越远之外，没有别的好处。

战国时期孟尝君、信陵君广交天下门客的故事让大家忍不住生出一股豪气：以后我也要这样交朋友！好像不能效仿这些侠义之士，就配不上热情好客的名声，做不到四海之内皆朋友，就是人生的一种失败。

可君不见这些在战国时期被称为“君”的人都是贵族，手中的财富足以让他们招揽有识之士。对能力不同的门客，待遇也是不同的。

也就是说，哪怕是家财万贯，不在乎为朋友一掷千金的人，也会有差别地对待不同的“朋友”。

比起功利，我更愿意称之为人之常情。交友的心可以是赤诚的，但是交友的方式，可能需要我们用理智的态度去丈量彼此的距离。

朋友之间是有“距离感”的，不同类型的朋友距离不同，才能找到最合适的舒适区。比如有的人，只是普通朋友而已，但出于客套，总会来一句“有什么事情找我”。你以为对方已经成了你的好朋友，遇到什么事情都找上门去，对方应该也会挺头疼的。

其实衡量好彼此的距离，真的是一门重要的情商课。

从十六岁开始，女孩儿灿灿便成了独来独往的人。直到上大学、大学毕业，她都没办法正常地和人交往，渐渐地成了别人眼中有怪癖的人。

灿灿向我倾诉，言语中饱含着痛苦，“我也不想成为这么不合群的人，但是想到和人交朋友，我就条件反射地觉得害怕。”

原本她也是一个挺开朗的一个小姑娘，身边的朋友很多，她又是一个比较信任朋友的人，有什么事情都会和朋友说，包括连对家长都不会开口的秘密，她让她的朋友们都保密，当时大家答应得信誓旦旦，回头她的秘密就传得沸沸扬扬，在学校里几乎人尽皆知了。而且传到别人的耳朵里，又飞出了好多不同的版本来，在这些版本中，灿灿都要成为无恶不作的人了。

有很多人对着她指指点点，“外表看不出来，原来她竟然是这样的人。”

“那个人就是她啊。”

灿灿不知道到底是谁泄露了秘密，在她孤立无援的时候，身边的朋友好像都消失了。没多久，老师和家长都知道了这件事，虽然老师斥责了传播谣言的同学，但是堵不住所有人的嘴，最终家里为灿灿办了转学。

离开了原来的环境，灿灿的心态却没有因此好转，她渐渐地变了一个沉默寡言的“怪咖”。她就像着了魔一样信奉一句话：从你告诉另外一个人秘密的时候开始，秘密就已经不再是秘密了，所谓朋友，只是传播秘密的一个途径而已。

这样的心态，灿灿能交到新朋友才奇怪呢。从朋友如云到不再信任任何人，这也太极端，太片面了。有这样的结果，把灿灿的秘密说出去的人有责任，灿灿自己也有责任。

“你所有的朋友都没有保守秘密吗？”

“也不是吧……”

“你知道你的朋友中有比较喜欢八卦的吗？”

“那肯定有啊，可是我以为我叮嘱了他们之后，就不会有人这么做了。”

我连问了两个问题，一下子就把当时的问题暴露出来了。连灿灿本人都觉得，不是所有人都泄露了她的秘密，不是所有的朋友都靠得住，但也同样的，不是所有的朋友都靠不住。因噎而废食，吃亏的永远都是自己了。

和不喜欢接受负能量的朋友吐槽生活，和不爱逛街的朋友逛个几个小时的街，和喜欢吃素的朋友大块吃肉，和不能保守秘密的朋友聊秘密……可能这个“朋友”的脾性的确有问题，可是你的这种做法，不也是在为难人家吗？

灿灿突然想起了一件事，“其实不是所有朋友都离开了我，在我转学之前，有朋友来找我，说是有话要跟我说，可是我太难过了，都没有见。”

当时那个朋友找她是为了什么已经不得而知，可是灿灿回想起这事情来，就觉得有些遗憾。她到底还是渴望着来自朋友的温暖的，否则也不会努力走出阴影。只是她对友情有太多的顾虑和疑惑，“那为什么不同的朋友结果不一样？我该怎么去处理不同的朋友关系呢？”

“首先，有距离地去交朋友，时间长了，你就会知道你的这些朋友是什么样的人，有差别地对待他们，只适合逛街喝茶的，就约着去逛街，适合交心的，再和他们说说自己的故事。”

有差别地对待，是对朋友最正确也是最合理的姿态，给你的朋友减减负，也给自己减减压。因为“塑料朋友”不可靠而伤心，那应该是伤错了心；将知己拒之门外，是自己将自己推入孤立无援境地的。

不要因为差别对待觉得不好意思，这不是指戴着有色眼镜看人，也不是非要给人分一个三六九等，而是在正确的距离对待正确的人。学会有差别地对待，友谊不再是束缚在你脖子上的枷锁。

犯错就要改，
而不是一直沉浸在懊恼的情绪里

西西是应届毕业生，初入职场，那叫一个手忙脚乱。

有一天她突然跟我说："我怀疑自己被孤立了。主管有任务不交给我做，同事吃饭也不带上我。"

事出反常必有因，我正好听说过他们公司，不是那种排挤新人的地方，跟西西同期的职场小白也有，却也没有听到他们有这些抱怨。我就问她，之前在工作中有没有什么做得不好的地方，是不是不小心得罪了人。

西西露出了不好意思的神色，"之前有一个单子需要我去跟进，但是我不会，差点搞砸了，还是同事及时帮忙，才没有在甲方那边留下糟糕的印象。可是我也没想到后果会这么严重，我以为轻轻松松就能搞定的，而且这件事不是过去了吗？怎么他们还会对我有意见？"

我连忙叫停了她，“先不要管他们是不是太过斤斤计较，也不要管这件事过去了多长时间，我就问你一个问题，现在让你再去跟进这个单子，你还会出错吗？”

西西露出了犹疑的神色，“这个……有几个报表怎么做的我还不会……”大概连她自己都觉得有些不好意思了，又补充说，“可是我知道自己错了，也跟大家道歉了，是我拖了大家的后腿，这还不够吗？”

这当然不够。无关痛痒的后悔和道歉在职场上什么用都没有，别人要看到的是你的成长。每次都做不好，每次道歉都可以很诚恳，这只会让人怀疑你改错的态度。

就像西西，新手犯错司空见惯，可是只会道歉，只会懊恼，却不赶紧改过，难怪会遭遇职场排挤。交给你的事情做不好，上司为什么还要把重要工作交给你？老是给同事添麻烦，人家凭什么待见你？

如果再怎么下去，等待她的不是职场冷板凳，而是去留的问题。

一个劲儿地说谢谢，不如下次利落地帮别人解决问题；一个劲儿地道歉，不如下次帅气地完成任务。

前公司总监政哥曾和我聊起过他初入职场的情形。以为职位升得高、晋升速度足够快的人，他们的职场生涯就像开了挂一样吗？不，至少没有背景、也不懂行的政哥曾经就是一个青涩的小菜鸟。

政哥英语专业出身，自认为专业技能过硬，可是他进的是制药公司，很多专业术语都看不懂，还要去各个部门沟通协调……在校期间有多自信，那他在职场就遭受了多大的挫折。

当时他的领导说："当时面试觉得你综合实力挺强的，但在工作中好像并没有表现出来啊。得加把劲啊，本来我就不想招英语专业的学生，因为太专业的东西大家都看不懂，也是觉得你行，才会让你进来的。"

未尽之意就是政哥表现得"不太行"，辜负了领导招他进来的初衷。

政哥是个要强的人，他知道这是事实，心里觉得特别压抑，但这并不能帮助他什么，反而因为分神让他犯了一些更低级的错误，惹人发笑。他有听到别的部门的人在小声嘀咕，这个新人是有背景吗？不然这个能力是怎么进公司的？

政哥知道这样下去不行了，后悔、难过的情绪或许可以让他从失败的阴影里走出来一会儿，让他知道自己不是一个没心没肺的人，可除此之外就没有任何作用了，不改变，他会一直是一个loser。错一次可以解释为新手不懂，可是同样的事情屡屡犯错，不是无能是什么？

他尽量不让自己沉浸在颓废的情绪中，而是积极地去寻找提升自己能力的方法，专业词汇不懂？背！不知道该和哪个部门的人交接？问！政哥有一个厚厚的笔记本，专门用来记录一些专业词汇，包括这些词汇可能用到的场合，而有些部门的人，看到政哥就想躲，因为他就像一个十万个为什么，这种药物的成分是什么，有没有用到相关技术……

偏偏政哥的态度很好，笑脸迎人，让人很难拒绝。

政哥的学习能力是毋庸置疑的，从小到大他都是一路“学霸”过来的，才能在笔试、面试环节碾压其他竞争对手加入公司。一旦知道了方向，他就知道该怎么做了。从什么都不会到什么都懂一点有多难？政哥会告诉你，只要真的投入进去，两个月绰绰有余。

一份工作固定的就是那么一点东西，学会了骨架，填充血肉的部分就简单了。把最基础的技能都学会，领导有任务布置下来，他知道该做什么，就不会像以前一样手忙脚乱了。

也不用担心之前糟糕的表现给领导留下不好的印象，新人期的生涩，大家都懂，无法理解的是沉浸在那种懊悔里无法自拔，更无法进步的人。如何证明我说的话？从政哥是公司晋升速度最快、最年轻的总监就可以证明吧。

他说："从某个方面来说，犯错是提升自己最快的途径。如果没有错误，你可能很难发现自己的问题在哪里，而一犯错，问题就清楚地摆在你面前了。这时候千万别忙着后悔、自责，抓住时机改正错误才是最正确的做法。"

政哥不怕什么都不会、专业不对口的新人，他最怕的是那种犯了错急着懊悔、急着找借口的人。新人不是犯错的借口，而是进步的理由。

人生的所有"开挂"，都是从懂得及时改正错误开始的。

学生时代，几乎每个人都会有错题本，用来及时弥补错误，可是在人生这一场大考中，反而有很多人忘了准备一本错题本，一犯错就怀疑自己不行了，感觉天都要塌下来了。可是距离最终考试的时间还早，这么早就采取消极的态度，完全就是自己亲手推掉翻盘的机会。

微博上有个读者找到我，"我原本在一家IT公司上班，后来自己创业，借了亲戚朋友不少钱，现在亏本了，钱也还不上。我觉得生活很难坚持下去了，该怎么办？"

字里行间都是他的痛苦。他觉得辞职是错，创业是错，选错方向不应该，亏本不应该……他对自己的人生充满了怀疑，甚至都没有勇气继续走下去，他的脑海里只剩下了各种如果，如果没有这样，生活是不是会有所不同？可是“如果”到底只是一种假设，不能将他带出绝望的情绪。

我问他：“你觉得自己的人生还有多长时间？”

按照平均寿命来算，他起码还能活四十年，用后面四十年的时间，难道还无法纠正前面三十多年犯下的错误吗？我觉得是可以的。

他沉默许久，说：“我明白了，用错误惩罚自己，除了让自己、让周围的人痛苦之外，什么用都没有，我该用行动来弥补我的错误了。”

后来他还给我发过一次私信，“我还在纠正错误的路上，但我觉得人生不再那么晦暗了，我的生活现在变得越来越好了。”

我不知道现在的他是不是已经从曾经的错误中脱身，但我相信，总有一天他会做到的。把错误一一纠正，生活的希望就此诞生。什么叫作绝处逢生？在你纠正错误的时候，便有了绝处逢生。

我们常常说，某人犯下了天大的错误，把自己的一生都搭进去了。想到这句话，不少人不战而退，犯了错之后就想着通过逃避来解决问题。可是这句话更多的是告诫人们选择正确的道路，若过度解读为犯大错会无路可走，那才是最大的错误。

“褚橙”远销海内外，褚时健的传奇想必我们都不陌生。一代烟草大亨在他的人生巅峰锒铛入狱，家破人亡，可以说是已经走到了人生的最低谷，任何重新恢复往日辉煌的机会都看不到了。可是褚时健出狱之后,包下果园种起了褚橙,又成了一代有名的“橙王”。

犯错是再正常不过的事情了，普通人不是在犯错，就是在犯错的路上一路奔行。真正把人区分开的，是犯错之后的态度。沉浸在懊悔的情绪中永远都是于事无补，说不定还会因为状态不好而一错再错，从一开始你就想着“完了”，那才是真的完了。

及时止损的道理很多人都知道，可是能够做到的人少之又少。惊慌失措前不妨先想想：难道真的就没有改正的余地了吗？这是你人生最终的考试吗？如果不是，请在改错本上记下，然后开始你的纠错之旅，等你已经远离了这个错误，才会发现懊悔、自责的情绪都是没有必要的。

改错，是你面对错误能交出的最好答卷。

工作时全力以赴，闲暇时纵情忘我

以前有个同事叫丽萨，工作日几乎每晚都会加班，看起来工作特别努力。但两年过去，升职加薪却一直轮不到她。丽萨的怨气很大，去找主管抱怨，“我这么努力而且牺牲了很多自己的时间，你怎么什么都看不到？某些人每天都不加班，比我年轻，却晋升得比我快，是不是有什么‘潜规则’？”

如果她特指的某些人中没有我的话，可能连我都要怀疑某些人是不是有关系，是不是涉及了某些见不得光的交易。可是我敢保证，这跟职场潜规则没有任何关系。

谁都看得见丽萨的努力，但是也仅限于努力了。

她每天都在加班，那是因为上班时太清闲了，工作没有完成，反而一到下班时间效率就提升了很多，但是没有表现得特别突出，每次都是在完不成任务的边缘徘徊。因此，她便成了整个部门最晚离开的人，但是也没有比别人多做多少工作，哪个混迹在职场的人是连最基本的工作都没有完成就可以升职的？

就像主管直截了当地告诉她：“你的确花了挺长时间工作，但是你的效率太低了。所以这不能怪公司给了你太大的压力，而是应该反省一下，你是不是能力不足？”

丽萨说：“交给我的工作我也有努力完成啊，你知道我因为加了太多的班，没有时间和男朋友吃饭、约会，差点闹分手，你怎么能这样说我？”

她一直信奉《穿普拉达的女王》中的一句话：“当你的私人生活一团糟的时候，就是你升职加薪的时候了。”

她的生活的确已经一团糟了，可是她想象中的升职加薪并没有到来，反而被上司质疑能力，还有比这更让人难以接受的事情吗？

主管也很无奈，“你用比较工作时长的方法来比较对工作的付出，是不是用错了方法？交给你的任务你的确完成了，可是用了比别人更多的时间，却也没看到你比别人做得更多，不是吗？你太在乎表面的努力了，实际上更应该注重效率。”

丽萨的行为，更像是一种面子工程。而公司呢，往往不会在意一个人做好工作付出的各种东西，公司在乎的是工作很好地完成了，公司的效益得到了提升。在这个基本前提都没有得到保证的前提下，谈“人文关怀”就是一个伪命题，除了八卦小分队，没什么人在乎丽萨的私人生活过成什么样子。

因为不管过成什么样子，都是你个人能力的问题，怪罪到工作上面，除了让自己更不开心之外，没有人会补偿你的损失。

和主管谈完之后，丽萨便尽量地转变自己的工作模式，大家都能够清楚地看到她的改变。没有刻意在上班时间营造出很轻松、很愉快的气氛，也没有把工作都拖到下班去做，她尝试着在正常的上班时间之内把该做的事情都做完，然后高高兴兴地下班。

效果看起来还挺不错的，因为她比以前过得更开心，而且也没有了之前的怨天尤人，“虽然上班时间付出了更多，但这是我本来就应该做的，而我也有了休息时间。这种节奏让人很舒服，也让我明白了我以前可能白白浪费了许多公司的资源。”

一直觉得有一句话很有道理，你只是看起来很努力，可是那种类似于自我感动的行为，却没有打动任何人，自然无法成为残酷职场下的生存适者。

因为在自我感动的背后，只是你自己在粉饰太平表演而已，在你的内心深处，也很了解自己这种无效率的生活方式不能得到任何加分。

跟丽萨相对的，就是贴着幸运标签的我。

我是一个特别不喜欢加班的人，哪怕是主管在场，我也会踩着点下班，节假日没有特殊情况是绝对不会加班的。这在一群不管怎样还是会在上司面前装作很忙样子的同事之中，可以称为一股泥石流了。

一开始主管也找我谈话，问我为什么从不加班，是不是不喜欢这份工作，没有什么工作热情。他暗示我，我这么做，可能会有其他努力工作的同事有意见。

我不知道是不是已经有谁跟他说过我的情况了，不过我也不着急，既然我敢这么做，自然早已做好了相应的准备，所以我也不慌，“主管，你有看我的每日工作总结吗？如果没看，你现在可以看一下。”

“如你所见，每天的工作我都保质保量完成了，没有浑水摸鱼也没有偷工减料，而我认为，工作时间的设定，就是为了能够让大家准时上下班，不然有这个时间的意义是什么？公司最应该在意的不是员工工作时间的长短，而是工作的效率。我也可以上班刷刷抖音、偷偷看看剧、发个呆、多跑几趟洗手间，然后靠加班把工作完成，可是这样做真的没意义。”

主管看完了我的工作总结，就说：“挺好的，继续保持。”

后来他再也没有因为我准时下班找我谈话，不加班也没有成为我职场道路上的阻碍。反倒是有时候他还会找我咨询一下，放假几天应该去哪里玩，哪些地方比较有趣。后来，我们部门的大部分人都成了“不加班主义”的拥护者。

比起胆战心惊、时时刻刻注意周围，以免被领导看到上班“摸鱼”，我更愿意等到下班时间，可以自由地支配自己的时间，做自己休闲娱乐的事情。放假了该旅行就旅行，该回家看看就回家看看，看电影、追剧一点都没落下，偶尔还能写写自己感兴趣的东西。

这便导致有些朋友对我的职业产生了怀疑，“你是不是自由职业？”或者直接问我，“你是不是一个全职太太？”

产生这样的理解，无外乎是觉得我的生活太潇洒了，而在他们的观念中，上班一族是不可能达到这个目标的。

可谁规定了，上班族就一定要一地鸡毛、满身疲惫、琐事缠身呢？

有人说我幸运，得到上司的青眼，所以在职场上顺风顺水。可我跟大部分人一样，没有背景、不去送礼，靠什么得到上司的青睐？说到底还是靠自己的能力。我没有加班，该休的年假正常休，但这代表我比别人少付出努力了吗？也不是。

我只是在别人忍不住想休息一会儿、放松一下的时候全力以赴，该付出的精力没少付出，该为公司创造的价值也不比别人创造的少。我能够保证自己对公司的价值，保证我的工作效率，用最少的时间做最好的事情，准时下班不是理所当然的回报吗？

也有人问我，你同时做这么多事情不累吗？也不是不累，但是有了足够的时间休息可以恢复自己的精力，工作远没有想象中的那么累，在工作时间努力发挥自己的价值也没有想象中的那么难。

现在有太多人抱怨，工作占据了他们大部分的时间，让他们没办法去做自己喜欢的事情，别说是看书、健身，累得连音乐都懒得打开，每天都要加班，真的太累了。

可是他们忘了问问自己，这是必要的加班吗？

你的可支配时间比你想象中的多，只是你习惯了无意义的加班，明明是在电脑面前发呆浪费时间与生命，你也会担心，如果不这么做的话，你会变得不合群，会被职场淘汰。别担心了，会把你淘汰的，只会是你那毫无效率的工作方式，加再多的班也无法弥补这个问题。

不知道从什么时候开始，加班成了努力的标志，仿佛牺牲很多个人时间在工作上，让自己的私人时间一团糟就是值得嘉奖的表现了。可是有一句话说得很对，不加班是一种能力，加班是一种态度，当能力不足的时候，只能靠态度来凑。

这意味着什么呢？这意味着，对于一半以上的行业来说，加班不是必需的，也不是一个职场人厉害的表现，而是正常上班时间完不成工作，靠加班来弥补。有些人看着同事在加班，不好意思走得太快，便在工位上磨磨蹭蹭，不想成为最早离开的人，其他人一看，这是不是跟升职加薪有关？有样学样之后，“不加班的员工不是好员工”的风气就这样传开了。

相信我，老板绝不会因为你不加班而给你小鞋穿，他只会因为你在上班时摸太多的鱼完不成本职工作而不喜欢你。

如果你遇到了前面那种情况的老板，不用灰心，不用丧气，你还可以立刻辞职走人，因为这种只在乎表面功夫的公司，效益肯定不好，没什么前景，早点离开反而对职业生涯更好。

我现在传递的不是“不加班”就是正确理念，我都还没法保证自己可以一定不加班呢。我只是在说，在工作的时候全力以赴，在休息的时候尽情享受,才是人生最“节能”的生活方式。拿出效率，才能当一个“能不加班就不加班”的自由人，才能以最正确的姿态享受人生。

第二章

没有你想要的拥抱，也可以一个人坚强

你本天生有翼
何须匍匐前行

贵在坚持的前提是，你走在正确的道路上

朋友朵朵失恋了，每天都恨不得把自己的眼泪流干，大伙儿怎么劝都劝不住她。直到某一天，她突然振作了起来，化好妆换上新衣服，元气满满地说："女追男隔层纱，我要重新赢回自己的爱情。"

但我们都不支持她这么做。朵朵和她的这个男朋友分分合合已经好几回了，一直都是藕断丝连的状态，每次都是朵朵在挽回，男方却一点儿都不在乎这段感情。

如果是分手之后，男朋友才是这样的态度，那可能是朵朵做错了什么事，可是在他们正常交往的时候，同样感觉不到对方对朵朵的重视。朵朵下班晚了，想让他来接，他就有些不耐烦地说："正在打游戏呢，你自己打车回来吧，就那么几块钱。"

朵朵在乎的不是那几块钱，而是他对她的重视。她当时就想生气了，但这么一来，男朋友会更加不喜欢她糟糕的脾气，只会

让矛盾更深。

交了这个男朋友之后，朋友聚会邀请朵朵，她经常来不了，说是男朋友有事，她走不开。

这样的事情多了，朋友们便都成了劝分党，可是朵朵就是不甘心，“他身上还是有很多优点的，可能你们没看到，他对我还是挺好的，就是有时候忙着自己的事情顾不上我而已。”

但这一次，朵朵耗费了很大的精力，软硬兼施，都没能将她的男朋友哄回来，反而得到一句对她来说极其残忍的话，“女人说分手，是为了引起男人的注意，希望男人回过头来哄哄自己，可男人说分手，那就是真的想分手，你不用想别的方法了，我就是不爱你了。”

朵朵伤心欲绝，我便这样劝她，“从好处上想想，没必要这么伤心，早点说清楚了，你也可以早点寻找属于自己的真爱了不是吗？如果因为他耽误了你原本的缘分，那才是雪上加霜的事情呢！”

朵朵被我逗笑了，“哪有这么简单就能找到真爱的？说到底，我知道他也不是什么真爱，我就是舍不得自己付出的这段青春和感情，付出了这么多，就想要有收获，不是说坚持就是胜利吗？我不想成为感情上的输家。”

放弃本身不是多难的事情，只是因为考虑到已经投入了那么多，不回本总会不甘心。这和赌桌上的赌徒们的心理差不多，觉得只要再投入一笔，肯定能够赢回来。可是在这种注定赢不了的事情上，继续投入，只会让人陷得更深，然后继续之前的死循环。

到了这个时候，坚持便不能叫作坚持了，而是赌红了眼的人失去了理智，想不到其他方法，只能安慰自己说坚持就会有好的结果，然后便一条路走到了黑，撞上南墙也不回头，哪怕已经头破血流。

懂得坚持是一个人的优秀品质，而懂得坚持的人更加知道，什么事情该坚持下去，什么时候该放弃。

就像朵朵，她心底其实已经知道那是一个已经走远了的男人，可她还是想要挽留再挽留，就像那些输了钱的赌徒，明知道赢钱的概率很低，却依然不停下注。理智上知道后果，感情上无法承认。

我说："朵朵，放弃并不是认输，而是及时止损。一直坚持错误的选择才会让别人笑话，会让人觉得你是一个输不起的人。越是这种时候，你越要开开心心，风风光光地过自己的小日子，那个人看到了会后悔，你也能漂漂亮亮地找新人。"

朵朵深深地叹了一口气，"我知道是这个道理，可是情绪陷在里面，一时半会儿很难走出来。"

我立刻拿出了化妆包，“走，我帮你。”

给朵朵画了一个特别漂亮的妆容，又挑了一袭漂亮的长裙之后，我便拉着她去逛街了，“买买买”永远都是治愈女人心灵的最佳途径，此言不假，朵朵的心情好了很多，然后我又拉着她去了篮球馆。

朵朵很不好意思，“我不会打篮球，还穿着裙子，去篮球馆干什么啊？”

我微微一笑，“都说受了情伤的女人是要通过荷尔蒙来治愈的，篮球馆便是充斥着荷尔蒙的地方。”

朵朵听了更加不愿意去了，“我现在还没有做好面对新感情的准备呢。”

“不是让你谈恋爱，是让你好好反省一下，自己之前错的有多么离谱。”我愣是将她拽了去，朵朵一开始表情还不是很自然，但渐渐地还是被现场的气氛感染了，跟着大家一起喊加油了。在我们要离开的时候，美丽大方的朵朵被好几个男孩子搭讪了，要了微信号，欢迎她以后再来。

之后几天，没有我拉着朵朵，她也会自己出去玩了，笑容重新回到了她的脸上。

“你看吧，有时候你也只是害怕做出改变而已，可改变之后你就会很快发现，改变之后的生活比你原来想要坚持的要好很多。一开始的确会自我怀疑，是不是之前的坚持都毫无意义？但是只要你的生活足够精彩，这点怀疑毫无意义，因为那都是过去的事情了。”

这回朵朵没再怀疑我说的话，而是深有同感地点了点头。

一直都有人来找我咨询感情上的问题，不管是男孩子还是女孩子，都曾在各自最当青春年少时经历过被爱与被抛弃的迷茫。我不是一个万能的人，给出的建议无非就两种而已，如果是正确的路，可以解决的矛盾，那就坚持，如果连自己都觉得是错的，那就趁早放弃。

读者鲁鲁曾给我留言，说他与女朋友的感情遇上了冰山，直接撞上去吧，大家一起头破血流，可是扭头离去，几年的感情又舍不得。他已经尽了自己最大的努力，双方父母意见不合，他做了很多努力，依旧无法得到女友父母的认可。

吵也吵过，闹也闹过，现在剩下的就只是精疲力竭了。感情美好的一面早已被消磨的一干二净了，鸡零狗碎的事情让鲁鲁觉得自己快坚持不住了，他不想辜负自己的女友，但是他的心却在慢慢走远，每天能不看到女朋友，反而成了他最幸福的事情。

我就跟他说：“既然你已经试过了所有可行的办法，那就放手吧，这样对你还有对你女朋友都好。恋爱可以自由，结婚则是需要考虑到方方面面的事情，在这件事情上谁都不可能任性。”

鲁鲁有些不理解地说：“你真的有认真地听过我的烦恼吗？感觉你就是轻飘飘地让我们分手，你都看不见我们的感情有多深。”

我说：“就是因为知道你们感情深，才让你们在还有感情的时候放过彼此。不妨想象一下，你坚持下去，有成功的可能吗？有意义吗？如果只是无所谓的挣扎，那就不要再自欺欺人，成全你的女朋友，也成全你自己。”

鲁鲁默然无语，许久才说：“我料到了结局，却心怀侥幸，以为多坚持一下，就可以有不一样的结局。可是如果坚持有用的话，我们早就结婚了，我也不必来你这里求助，我不想等到有一天我坚持不住了，再说这样的丧气话，我想现在就停下了。”

当坚持成了鸡肋，食之无味弃之可惜，总是让人觉得难以取舍，需要让人从旁提醒，才能彻底丢开手来。

鲁鲁最终还是与女友分手了，这让他消沉了一段时间，靠着时间他还是慢慢恢复了过来，后来他便认识了现在的未婚妻，今年五月，他们就准备结婚了，“还好及时放手了，不然不知道会伤害彼此多深呢，又不知道错过多少合适的人你？”

现在的“鸡汤”最为失败的一点，可能就是有太多人教大家去坚持不懈，去执着追求，却很少有人告诉你，“好的，到这里就已经很好了，虽然这个结果依旧不是你想要的，但是我们也不需要坚持下去了。”

终有一天，我们会明白，不是所有的付出都会有回报，也不是只要坚持，事情就能够有一个好的结局。

坚持或许是一个美好的品质，却不是一个需要我们永远贯彻的理念，它的存在需要伴随着我们敢于取舍的决心。在该坚持的时候咬牙坚持，在该放弃的时候潇洒放弃，才是最正确成熟的心态。

你还在一件事上苦苦坚持吗？有毅力的你很好，可事业和感情的成功，需要的往往不仅仅是毅力，更重要的是方向正确。不妨停下来先想一想，这是你想走的路吗？这是有结果的路吗？这是正确的路吗？回答完这三个问题，想必你也知道自己心中的答案了。

愿你所坚持的事情终能得到回报，更愿你所坚持的，是你该坚持的，是你想坚持的。大约只有这样，我们所期待的“付出终有所获”才能实现吧。

没有一步登天的成功，只有数十年如一日的坚持

不知道从什么时候开始，“出名要趁早”“再不暴富你就老了”这样的理念在大众的观念中普及起来,大家都热衷于谈“速成”“短期高收获”,对那种需要花很长时间才能获得收获的事情嗤之以鼻，觉得是浪费时间，吃力不讨好的事情。

于是一系列的培训班应运而生，什么“七天教你用PS”“30天JAVA编程速成”“五天成为运营小达人”，你想要学什么就能帮你速成什么。不少人兴冲冲地报了班，可是上完课回来，却发现头脑空空，人家的确教了那么多内容，可是被自己消化的却只有一丁点，或者是压根没有理解。

有一句话火遍了大江南北，“听过很多道理，却仍然过不好这一生。”我觉得也可以这样说，“上过了很多速成班，却依旧无法像广告说的那样一夜速成。”

其实这些广告放在以前，稍微理智一些的人都不会相信，可是在时代趋势的裹挟下，大家明明花钱买了教训了，却依旧在这条速成的道路上前赴后继，害怕自己错过了某一次，就错过了快速成名、一夜暴富的机会。

浮躁的世情下潜伏的是浮躁的人心。以前几乎可以一眼识破的骗局，可在如今却好像如果有谁不抱着这样的期待，就像是一个天大的傻子一样，“老实”成了一个并不怎么褒义的词语，称赞一个人“脚踏实地”仿佛也暗含贬义似的。

阿政是一个待业青年，上一份工作是做金属焊接。

家里人一直催他找工作，阿政总是不耐烦的样子，“你们的目光太短浅了，我现在能找到什么好工作吗？我现在最重要的是提升我自己，然后找一份更好的工作。”

他知道很多人逆袭人生的故事，深信自己也会是其中的一员。他一直有些责怪家里之前没有让他继续学习，导致他的起点太低。同样的，阿政是各种学习班的忠实粉丝，即便自己没有多少存款，却依旧不愿意错过各类培训班，万般无奈之下只好跟家里要。虽然打着“为了学习”的口号，但是和啃老族在本质上没什么区别。

我跟阿政说：“你现在等着一个又一个所谓的改换门庭的机会，可是这样的馅饼不会突然砸在你的脸上。可是你也发现了，没有相应的实力，等到机会的概率很小，于是你寄希望于那些补习班，期待那种类似于灌顶的神奇事情发生在你身上，可实际上，什么都没有，不是吗？”

阿政哼哧了两下，闷闷地说：“不是这样的，这些培训班肯定是有用的。”

“那我们也不管别人身上有没有用，就先说说你自己，学到什么了吗？”

阿政回答不上来了，有没有效果他自己最清楚。他之前没学过任何程序语言，数学逻辑方面的知识，上程序课时听得云里雾里，上PS培训课就懂得了一些差不多大家都会的基础操作……看起来是有进步的，可是这个作用跟他想要的比起来几乎可以忽略不计。

“我不是阻止你提高，而是觉得在连最基本的问题都没有解决的情况下，就谈一步到位，有点不切实际了。你的经历在告诉你，这样事情发生的可能性很小，你自欺欺人效果也不大。别老想着那些不切实际的成功学，你现在要做的首先是养活自己，先去找一份工作，如果想提升自己的能力那就找与你工作相关的培训班学习。”

比如阿政之前是做金属焊接的，他只会实操，只能做一线员工，可如果他去补充一些理论知识，再配合他的熟练操作，还是有很多地方可以去的，毕竟蓝领也是很好的职业规划。

从他最熟悉的领域做起，掌握起来可以轻松很多，还能保障自己最基本的生活水准，何乐而不为呢？

阿政其实很清楚自己现在的处境，被我直言劝了几句之后，不得不承认，“你说得对，我只是抱着侥幸心理而已，就像期待天上掉馅饼一样。我是该换一种生活方式了。”

迷信一步登天，其实就是一种怠惰的心理，既然可以轻松获得成功，那为什么还有那么多人要努力呢？大家都不是傻子，这笔账该怎么算可以说是一目了然。

可正是因为在常态下，没有一步登天的成功，所以还有很多“傻子”在坚持着走最远最辛苦的路，说到底还就是不切实际的空想。

我不清楚像这样的短期速成班到底成就了多少人，也不是想要一味反对这种机制。在人们的短期空闲之中提升一下自己，这没什么不好的，就像是多一种学习的途径。可如果将之视为人生成功的灵丹妙药，他们就会大失所望，甚至怀疑自己的人生。

为什么别人就能够轻而易举地成功？而自己却要过着普普通通的生活？这太不公平了！

可事实是这些都是最公平的，那些你以为一夜成名的人，在你看不到的光鲜背后，他们正默默地积累着，坚持着，等待着厚积薄发。时间让他们的力量得以发酵，让他们变成更强大的人。

朋友露西是一个英语培训班的明星老师，带出来了不少优秀学员，她带的不少学生都是从零开始接触英语，不管在家长还是在学生那边的她的口碑都很好。即便如此，她也跟我吐槽过很多恨不得“一步登天”的例子。

有个家长冲着她明星老师的牌子将孩子送了过来。这本没什么大的问题，露西还觉得这个学生挺乖巧的，学习能力也很强，进步空间很大。结果不到半个学期，学校期中考试，孩子没考好，家长就特别紧张地问露西，“老师，他这个成绩还有没有可以提升的办法了？我平时跟你聊，你总说他还不错，怎么还会考成这个样子呢？”

露西特别无奈，孩子的学习能力强是事实，可他之前的基础太差也是事实，语言学习本来就是一个长期的过程，不到半个学期的时间考成现在的成绩已经很不错了。

露西就实话实说，“半个学期，每个星期三个小时的时间，我做不到让你的孩子直接从六十分提升到九十分，如果我能做到，那我也不会站在这里教学了。”

“抱有期待值和目标感是好事，来培训班的目的当然是希望孩子能够有进步。可如果目标值太高，你会失望，对孩子来说压力也会太大。你的期待应该是我们一起努力能够达成的东西。”

通过一次短期考试来定输赢，未免也太片面了。露西觉得是孩子没有发挥好，但如果是在家长的压力下，导致考试心态失衡，那么一切都可以理解了。当想要成功的心态是建立在不想付出太多努力的前提下，很容易就会导致情绪崩溃，得到的与想象中的不成正比，觉得生活欺骗了自己。

可生活是最为平实的，它深入到你每天所做的一点一滴，它知道你所积累的与所放弃的，它是最公平无私的见证者，你所付出的不是它所认可的东西，它就不会给你相应的回报。

露西说，很多人觉得培训班的存在就是一种速成的成功方式，甚至有些老师也这么认为，觉得只要来培训班上班，就能以最轻松的方式拿到高薪。可很快他们就会发现，这跟他们想象中的有点不太一样，于是便失望离开。

露西现在的薪资的确比不少白领高许多，可她绝不会告诉任何一个人，这是一份轻松的工作。不是为了减少自己的竞争对手，她和新人老师之间不会构成什么竞争关系，她只是想陈述一个事实而已。

在你们看不到的时候，她在备课、磨课、过课、练课，从教案到教具，每一样东西都需要她细心去准备。“台上三分钟，台下十年功”这句话就是她的真实写照。上课上完就结束了？

不可能。她还要和学生沟通，和家长沟通，了解学生的学习情况和心理状态，下班了，家长一个电话打过来，她可能还要给学生进行一下视频讲解。露西不一定比别人都厉害，但是她花的时间一定比别人都要多，如此才成就了现在的她。虽然身上贴着明星老师的标签，但她从来没有在教学这个事情上松懈过。

“你看，连我都不是一个速成的‘明星老师’，我怎么可能有这个能耐去教会学生一步登天的本事呢？”

每个仰望星空的人，脚上踩着的都是最坚实不过的土地。有一个坚实的人生目标非常重要，但千万别把它当成是自己逃避现实的理由，它永远也不是你自欺欺人的借口。别害怕被人当成“傻子”，因为我看到的很多成功，都来自那些“傻子”的一步一个脚印。

千万别寄希望于天降“馅饼”，把成功的可能性把握在自己手中。也不要畏惧那些默默积累的日子太过艰苦，因为当有一天你回头来看，会发现那些挥洒过汗与泪的日子，都在熠熠发光。

那些实现自由的人，都有你想不到的自律

全世界的人，除了自由职业者之外，估计都有着向往自由生活的念头。在大部分人的眼里，自由职业者的生活是这样的：喝喝茶晒晒太阳，偶尔抽空敲敲电脑，脱离了朝九晚五，不用在上下班高峰期时你拥我挤，岁月静好，一年中有半年在旅行、晒照，生活有滋有味。

于是便有人迫不及待地想要成为自由职业中的一员，可是抱着这种想法的人，最终几乎都灰头土脸地回去上班了。

朋友杰森就是失败者中的一个。他本身是个游戏策划师，九九六的上班周期不算，加班熬夜更是常态。虽然公司的发展前景不错，但显然没能留住杰森的心。攒了一点小钱之后，他便咬牙狠心，辞职做了漫画脚本作者，在家办公，刚开始那段时间一切都像梦想照进了现实似的。

杰森规划好了自己在家之后的生活，每天写半话以上的剧情，

写得多就是存粮，剩下的时间就去健身、休闲，有大把的时间去做自己想做的事情。

半个月后，漫画的进度只有两话，与之前规划好的每个月交稿十话以上有很大的差距。杰森有些慌了，不过他还是安慰自己：没关系，按照每天半话的速度，某两天再爆发一下，还是做得到的。

还剩十天，杰森说："不慌，每天爆肝一话，还是能交稿。"

还剩五天，杰森又说："不睡觉了！一定能赶上的！"

最后两天，杰森几乎没有睡觉，竭尽所能地赶写脚本，可依旧没能将约定好的脚本交上去。

接下来的几个月，他先是赌咒发誓一定会尽快完成任务，然后又觉得作为自由职业者自己有大把的时间可以支配，不用把自己逼得太紧了，最后的结果与之前如出一辙，仿佛陷入了什么可怕的死循环里。

维持了半年左右的时间，杰森的存款告急，便灰溜溜地开始投简历、找工作了。他找工作那段时间我正好去了他家一趟，被他的状态吓了一跳：客厅里堆着许多外卖盒，有些已经开始散发出古怪的味道，他本人则是胡子拉碴，眼眶青黑，一副精疲力竭的样貌。他的这个状态，简直就是失意青年的完美写照，让人忍不住想要探索一下这到底是道德的沦丧还是人性的泯灭……

有工作时候的杰森经常加班，也没见他糟糕成这样，以前挺精神的小伙子，怎么一步步变成了这样呢？

杰森有太多的苦水想倒，“我也不知道事情怎么会变成这样，这跟我想象中的自由职业一点儿都不一样。我以为我有时间做饭了，结果吃了更多的外卖，我以为我会过上惬意的生活，结果比上班的时候大还要心力交瘁。”

钱没有赚多少，生活也没有享受到，倒更像是花钱受苦来了。

我毫不客气地对他说：“那是因为你一开始想的不是自由职业，而是养老生活。你的设定错了，行动错了，落差当然就出现了。”

“可是那些自由职业的人不都这么闲适的吗？”杰森颇有些不服气，他的朋友中也有做自由职业者的，小日子过得挺滋润的。

“那是因为你只理解了自由，却没有理解其中自律的深意。你看到的只有表面上的闲适，可是他们背后的紧张感你可曾感知到过？”别忘了，自由职业依旧是职业，用随心所欲的态度来对待，彻底放飞自我，等醒悟过来，你只会发现自己好像被生活放飞了。

在杰森觉得自由职业很舒服，可以睡个懒觉的时候，真正的自由职业者早已经吃完早餐开始工作了；在杰森觉得时间很充裕，可以慢慢来的时候，他们的进度条已经过了一半；在杰森还在茫然焦虑的时候，他们已经完成当前的工作，安排接下来的时间了。

何止杰森呢，这个话题都成了知乎的热点话题了，他们和杰森的心态很相似，一边无所事事，有大把的时间可以浪费，一边却被焦虑和危机感折磨。这不叫自由职业，而是在不该安享晚年的时候选择养老，由此便产生了巨大的矛盾。

正好我也去了解过一个全职作者的日常生活，暂且称呼他为两两吧。每年他都是会有不少于十次的旅行、签售等活动，他的朋友圈满满的都是美食与风景，健身也占据了很大的一部分。

他似乎过上了无数人想要的生活，可是问他的感受，两两说："如果我有别的一技之长，我应该不会把自己的爱好发展成职业。"

因为在外人觉得光鲜的背后，是他没有大肆宣扬的自律。每个月两两都给自己规定了码字任务，分摊到每一天，没有完成任务就不休息。在飞机上、旅行途中的酒店，你都能看到他敲字的身影。

如果你只看到他的享受，那就大错特错了。用两两的话说就是："有时候我自己都觉得，这哪里是旅行，根本就是换一个地方工作。"你以为他每天娱乐生活丰富，实际上人家是在收集写作素材和灵感；你以为他可以随便发呆浪费大把的时间，其实他是在构思下一本小说的内容……

自由职业真的比朝九晚五的上班族轻松吗？还真的不一定。

当一个普通的上班族，到了时间打卡下班，一切看着都很规律。而自由职业就像创业者一样，如果连他自己都不懂得约束自己的话，距离亏本也就没有多久了。反过来说，很多自由职业者，都在像创业者一样打拼，他们不是在为别人工作，而是在为自己工作，这意味着完不成一定的工作量，他们根本没办法休息。

一个全年都在约片的自由摄影师曾调侃说："如果你想要一份全年无休的工作，欢迎加入自由职业的大家庭。地球不爆炸，我们不放假。"

别人放假的时候，正好是他们单子接得最多的时候。虽然话是夸张了一些，但也道尽了自由职业的酸甜苦辣。自由职业者没有偷得浮生半日闲这个选项，因为那是摸着良心浪费时间的做法，焦虑的紧箍咒会让他们瞬间败下阵来。

如果你就此对自由职业望而生畏，兴趣大减，这不是我写这篇文章的目的，你也没理解自由职业的精髓。

就像我问两两，"既然全职真的这么痛苦，要不就出去找个工作吧？"

两两大惊失色，连连摆手。焦虑一般出现于没入门的新手中，到了他这个层次，精神状态饱满，哪里会像杰森一样把自己折腾得那么惨？

每天的自律已经成了习惯一样的东西，刻在了骨子里，没有上班的束缚，他反而比上班更注意遵守时间。只要完成了任务，他就可以去做自己喜欢的事情，去交自己喜欢的朋友。生活没有丧失基本的紧张感，却也不至于被工作占据所有的时间，让生活变成紧巴巴的。

适当的压力，适度的闲适，这才是自由职业应该有的样子。不是自由职业带给人的都是痛苦，而是因为它有门槛，它不淘汰智商普通的人，也不淘汰特长不多的人，偏偏淘汰“懒癌晚期”的人。

经常有人抱怨：“不是我不做饭，是没时间，要是有时间我肯定自己做。”“不是我不读书，是没时间……”如果把做饭、读书换成其他的事情，比如每天背几个单词，比如跟好朋友聚一聚，我觉得还是可行的。

他们想，只要是自由职业就好了。可真等他们赋闲在家的时候,却发现时间依旧不够用。时间都去哪里了呢？怎么手忙脚乱地，一天就过去了呢？

自由职业的人，因为太自由，所以学会了给自己设限。

当你发现自己平时上班都无法合理规划时间时，那么在走上自由职业之前，千万三思而后行。你可能不知道，那些自律的人在朝九晚五的日常中，都能把时间安排得满满当当，学习、提升自我，抽出年假去旅行……

活得不自由，首先不能怪工作。承认吧，自律的人，不管做什么职业，都要比你自由。以为自律是严谨刻板的代名词？人家早已比你活得更潇洒。

你不是全能王，别对自己太苛刻

有一个女孩，姑且称她为“完美小姐”，这么称呼可能有点奇怪：这个世界上有人是完美的吗？但是相信我，在你认识她之后，一定会觉得这个称呼很贴切。

“完美小姐”出身书香门第，从小爸爸妈妈就在把她往淑女的方向培养，处处对她要求严格，礼仪、成绩、品德、才艺等等。小时候她觉得很累，哭闹着不想学，爸爸妈妈就带她去看那些生活艰辛的人的样子，“趁你有机会学习的时候一定要把握住机会，否则你长大以后，很可能就这样艰辛生活着。”

“完美小姐”被吓住了，后来都不需要爸爸妈妈的特意要求，她自己就能按照要求去完成那些事情。她的同龄人正美滋滋地享受有寒暑假的童年时，“完美小姐”则在练钢琴、练舞蹈、练书法。

付出总是有回报的，在学生时代，她就没有哪一年是没拿过三好学生的，文艺表演也少不了她的身影，一路从校花到女神，“完美小姐”一直保持着最完美的笑容和最优雅的姿态，收到的全都是羡慕和欣赏的眼神。

太受欢迎的女生可能会被同性排挤，但在她那里根本没有这样的事情发生。因为她无论哪方面都做得无可挑剔，让人无话可说，别的女孩子都恨不得能够成为她那样的人，无论到哪里她都是焦点和中心。

“完美小姐”也没少收到过情书和各类小礼物，早恋在她这样的家庭里当然是被禁止的，她会把每一份礼物都完好无损地退回去，直接拒绝对方，却也尽量不伤害到对方的心。这就是她的涵养，她当然不会在这种小事上失分。

工作之后，“完美小姐”更不愿被人看轻，她想进最好的公司，也想保持最好的水平，习惯了优秀的人，最不能容忍的就是自己变得平庸。平时朋友们有什么事情，第一个想到的就是她，因为她总会有办法解决。

看起来一切都很完美，按照正常的想法，她就是典型的人生赢家，在属于公主的城堡里巡视着自己的领地。可很少有人知道，在她灿烂笑容的背后，到底流了多少痛苦的泪水。

是的，“完美小姐”一点都不开心，她经常觉得自己就在崩溃的边缘，“我一直想让自己成为最好的那个，不管是什么话题，我都希望自己能够参与进去。可是我会得越多的，越发现自己还有很多不懂的东西，这些东西压得我喘不过气来，让我怀疑自己的能力。”

别人称她为“完美小姐”，可她自己从来没觉得“完美”是她已经拥有的东西，这是一座大山，随着年龄的增长而越来越重，是她生命的不可承受之重。别人遇到问题可以找她，可她自己遇到问题，只能憋在心里，因为她已经习惯了塑造无所不能的形象。不知道有多少次深夜，她想到了一了百了。

我告诉她，“你习惯了去当最优秀的那个，可人的精力毕竟是有限的，无法做到兼顾一切。不要太在意这个头衔，你想想看，自己真正想做的是什么？不管是什么事情，去做这件事，当然，我指的是完美之外的事情。”

“完美小姐”犹豫了很久，才挣扎地说：“我读书的时候也特别想谈一场轰轰烈烈的恋爱，即便到现在我都想当一个普通的老师。”

“现在你还来得及，帅气的小伙还有，你也有教师资格证，完全可以去应聘。”

“完美小姐”不说话了。

我知道她的顾虑在哪里。对“完美小姐”来说，对象肯定要精挑细选，带出去不丢她的脸面才行，工作也是一样的，不是看不起老师，而是老师对“完美小姐”来说，太过普通了，说出去跟她以往的形象不符合，不知道有多少人等着看她笑话呢。

我就说：“这次不要被完美的指令支配，偶尔去做一下看似不完美的事情，你会发现，不完美没有你想象中的那么糟糕，不完美不意味着你不能过上幸福的生活。越是重压，越要学会放弃一些东西。”

“完美小姐”没有马上做决定，但后来职场中发生了一些她比较难以忍受的事情，她就真的辞了职，褪去了一身的光鲜，去了一所普通的乡镇小学当语文老师。

刚开始的确有很多人觉得不可思议，以为她受了什么刺激，还有人说：“她一个小公主，哪里受得了乡下的环境呢？”

“完美小姐”跑到乡下去，一部分原因也是不想听到这些是是非非的声音。过了一段时间，她的确有回来过，但不是像别人想象中的灰头土脸，而是挽着男朋友的胳膊，一脸幸福地回来。

她的男朋友同样不是别人想象中的高富帅，而是同一所小学的体育老师，高高帅帅，对她十分体贴。在男友面前，她也不需要掩饰自己的本性，会生气，会撒娇，他都会一一包容。老师的工作跟她想象中的景象有很大的区别，但是她确实很喜欢，那种不被重压逼迫的生活。

"'完美小姐'？谁喜欢当谁当去吧，反正我再也不要成为那样的人了。"回来之后，她一脸轻松地说，不再苛求自己脸上一定要有完美的笑容，当然也看不到之前那隐藏在完美笑容下的阴霾了。

我很高兴，她在褪去了光环之后，同样褪去了所谓"完美"的枷锁。

对自己要求高是好事，这样才能保持进步的状态。可是对自己太苛刻，那就是主动地把幸福推出去。

"欲戴皇冠，必承其重。"你以为这句话是在鼓励你承受压力，变得更好，其实是在告诉你，当压力过大的时候，不妨将头顶的皇冠放下来休息一下。当公主很美好，不代表当个普通人就会被人嘲笑，就有多么不堪。正好相反，普通人的简单与轻松，会是让你沉迷的东西。

朋友K曾经也向往做一个全能王的生活，"那样会觉得自己很厉害，会有很强的成就感。"他什么都会去学一点，结果发现大部分东西，他都学不好。

以前K也是挺优秀的一个人，所以才会那么自信地想要挑战当"全能王"这样的事情，但是学习成果一出来，便让他产生了一些自我怀疑：我以前是不是太把自己想象得厉害了?

K是一个不信邪的人，越是困难，他还越是会去挑战一下，好重新树立自己的信心。过了一段时间之后，他精神萎靡地出现在了我的面前，不太自信地说："现在我明白了，我真的什么事情都做不好，太让人挫败了。"

我们几个关系很好的朋友毫不客气地笑了起来，"不同的人擅长的东西不一样，那些先贤都没敢做这样的事情，你这也太不自量力了吧。"

K有些不服气地说："可如今流行的不就是'斜杠青年'吗?好像你不多掌握几个技巧，都不好意思出去说。"

"谁说多点亮几个技巧就是要你什么都去学?你这也太天真了吧。'斜杠青年'可不是你这么当的，斜杠青年是指以几个自己喜欢的业余爱好为'第二技能'的。把自己逼成全能王，除了累之外可能什么收获都没有。"有人这样吐槽K。

K反思了一下自己这次的努力收获，好像的确是这样。以前的他付出这么多努力做某件事的时候，早就有一定成绩了，但这次好像完全没有，反而把自己折腾得不轻。而他学习到的那些技能，他自己几乎不会用到，只是听别人说有用便忍不住想去尝试一下。

“你现在醒悟还算是早的，及时纠正自己还来得及，别再去想那些浪费时间的事情了，相信我，全能王不如所谓的专精王。”他的一个朋友这样对他说。

而这个朋友正好就是某领域的“大牛”，他总是将这样一句话挂在嘴边，“除了这个我什么都不会了。”事实的确如此，除了他专长的东西，他对别的事情都不太关心，什么这事那事的还有什么人情世故他概不搭理，这甚至让他得罪到了一些人。

可是他也不需要去关注这些事情，因为就这么一个技能，就足以让他吃一辈子的饭，获得一辈子的荣誉了。成为全能王？他从来没想过，成为一个领域的顶尖选手不代表在其他领域就吃得开，就这么一个专精，就足以用去他所有的时间和精力了。

大多数生活在如今这个时代下的人们，总想着要多备上几种能力，以防不时之需。可是这么苛求自己，却没能得到想象中的收获，本该专长的那个技能也被荒废了，鱼与熊掌都没有得到，这才是最亏的呢！

人的一生有限，所以才会有“舍得”这个词，放弃一些不必要的技能，专攻你擅长的、你喜欢的并且自己想要发展的，有舍才有得，没有成为全能王也没什么不好意思的，这是再正常不过的事情了。

正如人类进化、世事变迁，也都是舍弃一些，得到一些。别给自己施加没必要的压力，不是全能王的你才可能在某一格领域里面更加优秀。

你控制不了生活，但却可以控制自己对生活的态度

我不知道是不是所有人都会经历一段怨艾的时光——觉得生活中处处不如意，觉得自己的人生糟糕透顶，至少我曾经是有过这样时光的，虽然很多认识我的人，都觉得我是一个积极乐观的人。

工作了两三年后，母亲给我安排了相亲。“女孩子再怎么厉害，将来也要结婚。”我一向不怎么喜欢这种论调，正要反驳，妈妈就先说了，“你自己想想看，在外面说是打拼了几年，有什么钱存下来没有？也没觉得你比楼下那个早早结婚的姑娘过得更好一些。”

于是我回头审视了一下自己的生活，发现除了一地鸡毛以外，好像真的是一无所有。

那段时间我正好与前男友分手，工作很忙，连最好的朋友都没有多少时间联系，更顾不上开始一段新的感情了。有时候项目忙的时候，加班更是家常便饭，因为常常管理不好自己的作息时

间，导致自己心力交瘁。其实月薪也不低，但是在外面租房、吃饭，平时穿衣打扮也少不了钱，一年算下来根本留不下什么钱，年底其实都是靠年终奖维持着一点体面。

“车厘子自由”这个说法陡然火了起来，也算是当时的我的真实写照了。如果是大头支出，避免不了，我不能吝啬，可是车厘子只是水果，我再怎么喜欢吃，想想那个价格，就觉得肉痛不已，恨不得能买一颗是一颗。

距离“车厘子自由”都还早得很的我，在妈妈的“火眼金睛”面前，自然是不敢大言不惭地说自己过得很好。

楼下那个比我早结婚的姑娘，我知道，高中的时候成绩不怎么好，大学读了一半就结婚了，现在孩子都能打酱油了，一个全职太太，妆容精致，保养得很好。不知从什么时候开始，家长们从说“不要跟她学”变成了“跟她多学学”。我和她的人生评价好似突然变换了似的。

如果我能够觉得自己过得比她好，我肯定不会如此迷茫。问题就是连我自己都觉得越混越回去，这样一对比，就忍不住怀疑起自己走的路：我是不是不该选择这样的生活？努力拼搏了这么长时间，还不是什么都没有？既然这个世界上有更轻松一点的活法，那我们为什么又要辛辛苦苦地选择更艰难的那条路走呢？

感觉是谁都能做对的选择题，但是每个人都把自己的人生过成了不同的模样。

妈妈又劝我：“干脆把现在的工作辞了回老家这边来好了，随便找个稳定点的工作，开支也不大，说不定还能存下一点钱。”

剥开生活表面的光鲜，就知道自己过得有多么糟糕了，我既焦虑又迷茫，却又不敢直接跟母亲说，只能应付说：“我自己先考虑一下。”

是留在大城市一无所有，还是回老家结婚生子、稳定地过完这辈子？我躺在床上辗转反侧。不管是左边还是右边，都有我想选而不能选的理由。

过完年之后，我还是回到了原来工作的地方，可这个问题带给我的困惑却如影随形，心情郁闷连工作的时候也提不起多少兴致来，甚至连最喜欢的美食都没有什么胃口。我知道这样的状态不行，但是心里的那一关过不去，就没办法恢复正常的状态。

浑浑噩噩了一段时间，身边有不少人来关心我，“怎么突然变成这样了？是不是生活中遇到了什么过不去的坎？说出来大家才好帮忙。”

在大家的关怀中，我骤然清醒。在这个陌生的城市自己什么都没有得到，显然是不对的。我在这里奋斗两年多，辛苦是真的辛苦，可是我也没少从中得到快乐和幸福。项目完成，那种成就感不是一份平淡且无波澜的工作能够带给我的，租的房子或许不是最好的，可是回到自己的小屋子里能完全放松自己的精神，不用像许多人一样，居无定所，颠沛流离，思考自己的下一站在哪里。

虽然我的情感生活匮乏，没有时间去花前月下，可无聊的时候，依旧可以约三两好友出来聚个餐什么的，城市之大，肯定有我的容身之地，肯定会给予我些许的温暖和善意。我可以在想说爱的时候爱，想说恨的时候恨，不像相亲一样按部就班，把一切都安排得明明白白。

有的人的人生是一眼就能看到头的，我从内心是不想要这样的生活的，我觉得我的人生应该在拐角处充满种种意外。生活有起伏其中的血肉才能充沛起来，城市中的所有浪漫便是由这些意外而造就的。

这是我自己选择的人生，这也是我乐在其中的根本原因，怎么能够因为别人的一点怀疑就突然迷失起来了呢？

我打电话回家，拒绝了母亲的种种安排，我对她说："我在这边都挺好的，你就放心吧，人家的小日子可以过得风生水起，我也不比他们差到哪里去。"

当时的我，不知道未来在何处，升职加薪什么的，说到底还是一个未知数，未来的日子会变得更好还是会变得更糟，我也不清楚。可是调整好心态之后，自然就有了相应的心理准备，变好还是变坏，都是人生的历程之一，笑对生活，才能从鸡毛蒜皮中找到生活的乐趣。

前段时间正好有个叫笑笑的女孩儿向我请教该怎么搞定眼前的生活。

她学的专业是化学，因为她自己对化学比较感兴趣，毕业之后就进了一家公司的实验室，毕业才半年而已她便觉得自己好像工作了十年似的，累得她都开始怀疑自己的初心了。她的确还在跟各种仪器打交道，可是公司在工业区，周边荒凉，出去买点生活用品都困难重重。

她跟家里抱怨了两回之后，父母便催着她赶紧改行，“你看看人家其他的女孩子，哪有做这个的？你这样不是自讨苦吃吗？听爸妈一句劝，赶紧把工作辞了回家这边来发展，哪份工作不比你现在做的这个好？女孩子家家的，跟化学试剂打交道久了对身体也不好。”

笑笑给家里抱怨这些事情，其实并不是想改行，只是想从父母那里得到一点安慰。可现实却告诉她，安慰是不可能有的，只会让她产生对生活的更多怀疑。

“现在我也不知道是不是该放弃现在的工作了，他们说得对，我还是有点羡慕那些光鲜亮丽的工作的。”女孩子嘛，纵然喜欢待在实验室里，却也同样希望自己能够在休闲的时间逛街、看电影、穿漂亮的衣服、画好看的妆容。这份工作跟笑笑想象中的工作完全不同，签合同的时候她以为自己得偿所愿，现在却有了一种越来越严重的迷茫感。

同时，笑笑也很清楚，在市中心她不可能找到类似的工作，如果想要繁华，她需要舍弃的就是自己最熟悉的东西。

取舍就是这样，就是因为各有利弊，才会让人痛苦和纠结，也才会显出生活的糟糕之处，看似将所有的主动权都交给了你，可是你仍然会觉得处处受限，无法得出两全其美的方法。笑笑已经考虑这个问题很长时间了，也没有因为工作掉头发的缘故而萌发离开的念头。

我告诉她，生活是搞不定的，但是作为一个人，也不要被生活给搞定了。它看似好意地给出很多选择，可最终选择的时候却越是纠结越是什么都得不到。

我不能为你做出选择，因为这是你自己的事情。不过我想给你一个建议，立刻做一个选择，不管你释然了还是将来会觉得后悔，你都能知道自己的选择是什么了。做出决定之后，就少一点犹豫，想想看，你比别人幸运很多，如果做错了选择，你可以从头再来，你还很年轻，有选择的余地。

没过两天，笑笑就给了我答复，“我下定决心了，还是在原来的公司留一段时间，如果将来真的不喜欢了，再离开也来得及。之前一再纠结，想到的都是处处不如意的地方，清醒过来之后，才知道哪有想的那么糟糕？还是有快乐的时刻等待我去享受的。”

不到最后，永远无法得知自己的选择是对还是错，可是笑笑不会后悔，因为对她来说，幸福的味道盖过了苦涩，她没有丢掉自己的态度，就不会在生活中迷失。比起游离不定、踌躇不前，还不如坚定本心，找回走上这条路的初心。只要初心还在，终究能够从看似糟糕的生活中找到值得留恋、回味的瞬间。

在人生的各个阶段，总会有一些糟心的时期，让你觉得此时的人生不尽如人意。不是你不够坚定，而是你会忍不住去看，去对比，外面的风雨声太大，便会自动忽视自己内心的声音，软弱是再正常不过的了。

可是我希望你，不要迷失太长时间。生活的本质不是完美的，可是在不完美中找到幸福的味道，才是过日子的精髓，为了所谓的完美，丢失了幸福的时刻，才是真的因小失大。

无论是在人生的顶峰还是低谷，都存在着不如意，别害怕它会将你的生活弄得一无是处，纵使战胜不了它，你还能够把握住自己，相信你在何等的境遇里都能够找到自己，都能够看见生活的闪光点，找回初心，找到属于自己的甜蜜。

第三章

你尽力了，何必说自己运气不好

你原来不必如此圆滑

最近刚刚开始实习生涯的鹿小姐非常苦恼，作为一个食草系妹子，她秉持的处世观念就是与人为善，大家自然也会用善意来回报你。结果这样的处世态度，让她在与职场打拼的时候差点撞得头破血流了。

因为是新人的缘故，组里的前辈经常会把一些烦琐的工作交到她手上，“你是高才生，这样的事情应该难不倒你吧？”

“年轻人就要多锻炼锻炼，把资料好好整理一下反馈给我。”

鹿小姐有苦说不出，只能一一微笑着应下。尽管这些工作，有些不属于她的工作范围内，她根本就是一头雾水，有些看起来很简单，但做起来却特别繁杂，需要花费不少的时间。不过前辈们一句句勉励的话压下来，鹿小姐的性格本来又好，更说不出什么直接拒绝的话了。

虽然在鹿小姐接到任务的时候，前辈们总是会非常客气地说

“谢谢”，但如果工作上出了什么纰漏，他们找直接负责人的时候还是鹿小姐，那时候就不会这么客气了，“连这么一点小事都做不好吗？”“果然现在的应届生，是一届不如一届了。”

为了避免再出纰漏，鹿小姐就不得不延长加班时间来完成工作，压力大到爆炸。当然，鹿小姐还是相信，只要努力工作，与人为善，大家还是能够看到她身上优点的，肯定她的工作能力的。同期的实习生也知道了她比较好说话，如果有完不成的任务，就拉上她一起，双手合十地说：“拜托你啦！我知道你最好了。”

鹿小姐虽然明白这是在给自己增加负担，不过她也听说过，在这个社会上生存情商也是非常重要的，如何学会与同事好好相处更是重中之重。所以虽然很为难，但她还是同意了下来，以免自己成了别人眼里目中无人的那种人。

然而，在遇到鹿小姐本人非常喜欢同时她自己也有自信做好的工作时，却早早被其他同事抢走了，“食草系”妹子也想要奋起一回，就说，“我对这块真的挺了解的，请务必让我参加到这个项目中来！”毕竟实习也是要打考评的，而且可能关系到鹿小姐最终到底能不能留在公司里，她当然也要抓住时机展现一下自己的实力。

她的请求还是被驳回了，因为有前辈说，“你擅长这个？可是你之前的工作完成得都不怎么样，出错率还挺高的。”

“而且鹿小姐你不是挺忙的了吗？X前辈的项目也交给你了，千万不要好高骛远，做好眼前的事情才是最重要的。”另外一个竞争这个项目的实习生这样对她说，而所谓X前辈的项目，其实原本也应该是这位实习生的工作，却被他拜托给了鹿小姐。

鹿小姐的脸憋得通红，却怎么也说不出一句反驳的话来，于是项目的事情便就这么定下来了。可是鹿小姐的心里却委屈得要命，她的出错率高，不就是因为之前经手的都不是自己擅长的项目吗？可是连一个机会都不给她，这要她怎么展现自己的工作能力？她帮了同期的实习生那么多，为什么没有人站出来帮她说话，反而落井下石呢？

她不知道，在那些前辈们看来，所有好的坏的项目，大的小的琐事，都是给她的机会。她也忘记了，她跟其他实习生属于竞争关系，鹿小姐想要表现出自己优秀的一面，别人自然也想，竞争一个项目本就是一个弱肉强食的过程。

更让鹿小姐感到糟心的是，她努力跟其他人打好关系，在别人看来，却是一种心机。不但得不到安慰，反而在她最落魄的时候，只能听到别人的窃笑声。

“你知道吗？就是我们组的那个鹿小姐，特别不要脸，不管遇到哪个前辈，都想要巴上去，各种端茶倒水，不过没办法，自身能力不行，再怎么赔笑又有什么用呢？”

“那个人啊，我听说过，这就是典型的偷鸡不成蚀把米，最讨厌这种明明心里很讨厌，脸上还要装出一副笑容来的人了。”

“不然怎么能够被称为心机呢？下次完不成的任务也拜托给她好了，反正她喜欢在大家面前塑造自己的好人形象，不会拒绝的。”

在茶水间听到的这段话，让鹿小姐的委屈达到了顶峰。不是说与人为善就可以收获真正的朋友吗？为什么这些人一边拜托她做事情还一边讨厌她呢？

出人意料却又在情理之中的是，后来，在学校成绩优异的鹿小姐没能留在那家公司，领导说，她的实践能力不太行，还需要多历练。反倒是学校成绩不如鹿小姐好，没有鹿小姐那么努力，甚至连性格都没有她好的实习生留了下来。

离开公司时，看到评价后的鹿小姐终于忍不住爆发了，“别人留下来我都可以理解，可是留下来的为什么是牛小姐？”

是的，牛小姐就是站在鹿小姐对立面的一种人，如果说鹿小姐是好说话的巅峰的话，那么牛小姐就是不好说话的巅峰。

实习生多做一点事情似乎是约定俗成的，在鹿小姐看来也是理所当然的事情。进公司不久，就有前辈让他们帮忙买饭，鹿小姐一口答应了下来，但是牛小姐却说，“不好意思我没有时间，我的工作还没有完成，前辈大概不希望因为您买饭的事情耽误我的工作吧？”

那个前辈一时之间没能下得了台，这件事也成了公司的八卦之一，“果然是个愣头青啊，这样的人是会被穿小鞋子的。”其实鹿小姐也是有那么一点儿幸灾乐祸的，觉得这人太不会来事了。

不过不管是遇到什么麻烦，牛小姐的处理方法都非常直接，“不好意思，这个不属于我的工作范畴之内，请您找更专业一点的来解决吧！”“不好意思，我自己的事情还没做完，没有时间帮您。”

知道拿不相关的事情去找牛小姐帮忙的话，一定会被她拒绝，所以找她帮忙的人就越来越少。抢好项目的时候，牛小姐也是最积极的，说话的时候一点儿都不担心得罪人，总喜欢拿别人的缺点来突出自己的优点，虽然项目是拿到手了，但是同期的实习生很少有喜欢她的。不过牛小姐自己就像没看见别人的目光一样，照样把高跟鞋踩得格外利落、自信。

但不得不承认的是，她的工作都完成得非常漂亮，出错率极低，经手的项目跟前辈们相比也毫不逊色。这个时候，就算是那些看她不爽的人，也要说，“她的性格是不怎么样，但是工作能力是没得说的，或许这也是有能力的人的特权吧。”

最后牛小姐留下来，无论别人有多么不甘心，却还是佩服的情绪居多。

面对一脸不敢置信的鹿小姐，牛小姐冷淡地说：“因为实习生只是处于一个考察期而已，你连能不能留在这个公司都不一定，就开始经营自己的人脉，可是如果你都不能留在这里，你努力讨好那些人又有什么用呢？最重要的，还是展示自己的实力。在处于不平等地位的时候就想着发展人脉，真是太傻太天真了。”

等牛小姐留到公司，实力也得到公司以及各位同事的认可之后，自然有的是时间慢慢跟同事们相处。而鹿小姐呢，还没来得及展现自己的实力，就迫不及待地表现出了自己“友善”的一面，最后也只能“友善”地让掉转正的机会。

本科读书的时候带我们的老师中，有一位是研究型的教授，在给我们讲他的研究成果的时候说：“做科研，就是要走自己的路，顺便把别人的路也给走了。比如用某种稀有金属材料做的实验有了结果，就要把所有的稀有金属都做一遍，这样便能申请专利。科研竞争就是这么残酷，你当然可以温柔以待，但是你对别人的温柔，就是对自己的残忍。”

如果不把这一系列的实验都做完，可能你的成果就会落在别人的身上，或者原本应该是你的专利，别人只是在你的基础上完成了另外一个实验，说不定就要与你共享一个专利，其中的利益牵扯，不是一两句嘴上官司就能说清楚的事情，甚至会关系到几百万、几千万的利益。

你试图跟别人挤在一条路上，这样的情况下哪里还容得你良善，如果不努力最终结果只会是你被对方给挤走了。你被挤走了对方也许还会脸上挂着纯良的笑容对你说："既然你这么好，那就让给我吧。"

拜托，这个时候就别再考虑什么"我这么做会不会太咄咄逼人"了，也别想着什么"多一个朋友多一条路"这样的话了，这个时候你就什么也别多去想，先酣畅淋漓地去拼一场吧，无论做什么事情，总归要建立在守住自己地盘的前提之上。

温情的确是可以有的，我在这里不是在灌输"不应该与人为善"的观念，我只是在说，该竞争的时候，就该拿出一点儿原始的野性来，因为你的对手，不会因为你是"食草系"的就将好处拱手相让。别为了圆滑而圆滑，你的竞争力去了哪儿呢？

其实，大多数人并不在意你

表妹是一个典型的乖乖女，一开始姨妈还觉得挺骄傲的，觉得她会成为优秀的孩子。可时间久了，姨妈便有些发愁，因为表妹实在太乖了一些，不管做什么事情都是循规蹈矩的，不得已姨妈便嘱咐我，“她这个性格要是出去上班肯定是要吃亏的，你懂得多一点，帮我说说她。”

见到这个表妹是很久之前的事情了，给我的印象是一个挺腼腆的小姑娘，乖巧本来就容易获得别人的好感，我对她的印象很不错，怎么就会让姨妈觉得头疼了呢？

等再次见面深聊之后，我大概便明白了原因。因为之前家里管得太严，让她成了一个一点错都不敢犯的人。

有人肯定要说了，不犯错不是好事吗？什么时候成为一个缺点了？

不犯错大部分时候是好事，可连犯错都不敢，这个人便很可能是畏畏缩缩，举步维艰的。

就像表妹跟我抱怨的那样，“活着好累，要一直看着别人的眼神行事，都没有自己的半点自由。我很害怕别人盯着我看，好像我穿反了衣服、裤子上破了一个洞、裙子走光了似的。”

同样的，她需要对所有的人表达善意，把自己变成一个老好人，哪怕这个人她一点儿都不喜欢，因为她怕别人觉得她的善良是虚假的，怕别人对她指指点点的。比起出风头，她更愿意成为一个透明人，因为站在舞台的最中心，她要是出了什么糗，别人一眼就能看到了。

这个问题的确挺严重的，发展到后面，可能要成为“见光死”，也就是害怕跟别人打交道的社交恐惧症患者。

我问她：“以前发生过什么事情让你这么害怕犯错吗？”

表妹说起了她的一次经历。有些商场会在下雨天提供爱心雨伞，人们在用完之后再放回去。她拿过一次，因为很久没去那家商场，就不记得放回去了。后来下雨，她继续用那把爱心伞出门，结果正好听到路上有人在说：“现在有些人太没有素质了，把商场的爱心伞当成自己的私人用伞。”

“就是啊，本来是应急用的，结果成了某些人贪小便宜的对象，真正要用伞的人无伞可用。”

表妹当时脸上火辣辣的，没人指名道姓地说她，但她自己觉得他们就是在说她，被人在公共场合拿出来指指点点还是她人生头一遭。她低下头，不敢看任何人的眼神，害怕其他人也在看她这个没素质的人。

表妹不是那种贪小便宜的人，从来都没有将这把伞据为己有的念头，她想要解释，却又觉得尴尬，只能束手束脚地站在那里，恨不得让自己立刻隐形了。然后她便用最快的速度将伞还了回去，可这件事带给她的阴影却久久无法挥去，那些路人肯定已经觉得她是那种爱占便宜的“廉价女孩”，为此她好像连弥补的机会都没有了。

从此之后，她就开始了战战兢兢的生活，努力不犯错，努力不被人注视。她不想再体验到那种在公众面前被指指点点的感觉了。

在我觉得，她的道德感和不自信已经成了她的枷锁。如果不归还爱心伞觉得不好意思，还回去便是了，但是她却拿着一把放大镜观察自己的“错误”，还将未来的生活拿来抵偿这次错误。

道德感强是一件好事，可是当这种道德感成了自我的束缚，就显得很无用了，别人还没来得及使用道德绑架的招数呢，你就自己先把自己给绑架了。

有人调侃人生的两大错觉：我可以的，那个人喜欢我。其实不妨再加上一条：有人在看我。可也许人家只是不带任何感情地匆匆瞥了你一眼而已，看过之后都不会在人家的脑海里激起半点水花，这样都还要“伤怀”的人，可能真的就是自己给自己加戏了。

你对着空气忐忑的时候，路过的人早就舒舒服服地过起自己的小日子去了！

我问表妹：“你能确定他们说的是你吗？”

表妹张嘴欲答，我先制止了她，说：“先别急着回答我，等我给你分析一下。商场每次下雨天最少也要准备几百把爱心雨伞，爱心伞上都有商场的LOGO（标志），因为商场本身就知道这种伞的回收率不会太高，就索性将这种伞当成免费广告了。这种伞的回收率能达到10%都算是高的，也就是说，人家很可能是在讨论这种现象，而不是针对你正好拿着这把伞。至于商场就更不在乎了，他们已经算好了成本，说不定还巴不得你们拿去用，广告效果更好。”

表妹哼哧哼哧了一会儿，又说：“可是……”

“同样的，做别的事情的时候，别人注视着你的可能性就更小了，大家相互又不认识为什么偏偏盯着你的错误不放？做好你自己想做、该做的事情就好了。别人是努力得到别人的关注，想要走红，你知道的，这个反而要更难一点，没些特色可能转眼就被别人丢到脑后了。”

越在意别人的眼神，越会觉得别人是在看你。可事实上，大家都忙得很，上下班已经耗费太多的精力了，连自己的朋友都未必想多关心一下，更别说是萍水相逢的路人甲了。有的人想象力比较丰富，靠自己就脑补出了一部大戏，做错了一点小事，就忍不住想，完了，别人不会以为我是一个如何如何的人吧，我接下来的人生就要带着这样的烙印过下去了。

明明只是一件谁都可能犯的小错，上升到关乎升职加薪的关键性问题，到最后竟还成了自己的人生污点？

哪有那么严重，恐怕连电视剧、电影都不敢这么演。

小错是用来纠正的，不是用来念念不忘惩罚自己的。

小王是一个努力在职场上发光发热的人，在不少场合证明了自己的能力。但是在他的主管升职，他和另外一个同事竞争主管留下的位置时，他本以为的万无一失，却遭遇了滑铁卢。于是，小王便陷入了消沉的情绪，这是他距离升职加薪最近的一次，明明他都感觉目标近在咫尺了，竟然还是让到嘴里的肉被别人夺走了。

主管走之前还特地跟他谈心，对他说：“这次这个位置，是我没有选你，你知道为什么吗？”

小王兴致不高地说：“其实我猜到了，是因为上次我的一个疏忽你一直对我不满意，可是我努力改正了，这也不行吗？还是说职场就是这样，只要你做错一件事，以后不管怎样都会背着这个错误。”

小王说的失误是他半年前犯下的，当时他主动提出了一个与客户合作的新方案，结果考虑不周，没能及时发现方案中的一个漏洞，差点让己方公司蒙受经济损失。最后还是靠领导出面，才及时止损的。

小王是对自己要求挺严格的一个人，这么大的失误，他不可能轻飘飘地放过，这件事一直存在他的脑海里，每每要冲动行事的时候他就会把这个事情拎出来提醒自己，成了他警醒自己的一个重要工具。

他这么努力，一部分原因也是希望能将功补过，不让这个失误成为他职场的绊脚石。可现在看来，你犯下的每一个错误，老板和其他人心里都有一笔明账，该清算的时候总会清算的。

小王的嘴角露出了一丝苦涩的笑容。看来以后做事还要更小心谨慎一些，被谁抓住了把柄都不好。

但是主管却告诉他：“你不能升职，跟那个失误有关系，但其实，跟那个失误也没有关系。”

“知道我以前最欣赏你的是什么吗？是你不管做什么事情都敢想敢做，有去尝试的勇气，你身上有年轻人的朝气，为我们公司带来了不一样的气氛。可自那件事情之后，你做事就开始瞻前顾后，失去了原有的锐气，也失去了你本身具有的优势。在这种情况下，我为什么还要选择你？”

小王愣了一下，喃喃道：“原来不是失误让我错过了这个职位，而是因为我太喜欢跟这个失误过不去了？”

主管点头：“你要知道，在公司这艘巨轮上，每天都有人在犯错，只要不是直接改变公司航向的失误，我们都可以迅速地收拾残局，然后继续往前进的方向使劲。要是把每个人的错误都记起来，那得消耗领导多少脑容量和精力，谁都不愿意做那种费力不讨好的事情。”

这时候，小王才明白自己之前错得有多么离谱。在他坐立不安，干脆选择保守路线的这段时间，完全没有发挥出自己应有的水准。看似不公的晋升，其实再公正不过。

小王的错误不在于他原来的那个失误，而在于出现失误之后，他太在乎公司上下对他的评价，结果将自己的优点限制了起来。领导没时间看太多兢兢业业，他们需要看到的是亮眼的优势，小王没有拿出手的优势，自然就成了最快出局的。

喜欢给自己加戏的人注意了，其实你没有那么多的观众，也不会因为你对着空气卖力表演就涨“片酬”。不要因为被谁注视就觉得如芒在背，拿出你正常的水平，做最自然的你，过优秀的人生即可。

偶尔有那么一两个喜欢“看戏”的人，又有什么所谓呢？你过着独属于自己的精致优雅的生活，也没有太多的时间去在意别人的注视了。

亲爱的，每个人都要学着自己长大

大概每个人的人生路上，都会有崩溃到想哭的时候，在这种时候，他们总会无比渴望自己的家人和朋友出现在自己的身边，给予自己一点帮助和温暖。可奇怪的是，越是他们需要温暖的时候，他们身边越是一个人也没有。

于是在那些令人沮丧的夜晚，有很多人恨不得在电话或者视频中大喊，“为什么你不在我身边？”对面的人总是会露出一个无奈而包容的笑容，说了些什么并不重要，因为处在糟糕的情境下的他们一般都听不进去，可是总有一天，他们会靠自己的力量走出来。

没错，就是靠自己。

亲朋好友当然是很重要的存在，他们维持着一个人在社会上生存的种种关系，在必要的时候帮助你、关心你，可是同样也有一些时候，他们无法帮助你，人注定要熬过一些孤独，在时光的淬炼之下独自成长起来。

我有两个关系很好的朋友，一个是阿喵，一个是晨晨，从学生时代一直到工作，我们仨都是亲密的好友，熟悉的人都称我们为“铁三角”。阿喵的家庭环境比较复杂，我和晨晨都知道，所以平时她有什么事情，我们能帮的肯定会帮，就像照顾妹妹一样，她也比较依赖我们。

后来上高中的时候，三个人都不在同一个班，阿喵的很多事情，我们就不能像以前那样照顾到了。她的脾气太软，谁都能欺负一下，却很少说出来，只会默默地憋在自己心里，我也是看到她整天闷闷不乐之后才追问到的。

当时我就不干了，叫上晨晨想帮阿喵去讨回一个公道，结果晨晨制止了我，说道：“你帮得了她一次，帮得了她两次，却没办法一直帮她的。”

那时候的我天真又热血，抢白道：“怎么帮不了了，那些人就是欺软怕硬，我们教训他们几次，他们就知道阿喵不是好欺负的了，也就不敢做什么了。”

“对这些人是这样，可是她迟早会遇到更多的人，现在我们不在一个班，以后可能不在同一个学校，不在同一个城市，你怎么帮？就算你想，也不可能马上赶到她身边去，总会心有余而力不足的。

你又不是她亲妈，连亲妈都不可能时时刻刻看顾到。”

晨晨嘴巴毒，却一针见血地点明了问题。我有点不甘心地说：“那该怎么办？我们该不会就这么不管了吧？”

没想到晨晨点点头继续说道：“没错，我们就不管，让她自己去处理。”

阿喵一开始不想面对，继续处于食物链的底端。我听说到她的那些事情，差点都要忍不住了，却还是被晨晨劝住了，“你现在去帮忙，那之前的努力就都白费了。”

“那就眼睁睁地看着阿喵被欺负吗？我们还是不是最好的朋友了。”

晨晨说了一句让后来的我依旧印象深刻的话：正是因为是最好的朋友，所以才不去管，而不是以“心疼”的名义，剥夺她改变的机会。让她直面残酷的世事不是最残忍的事情，让她以为世间无害，却一下子将她赶出温室才是，她得自己学着适应世间风雨。

我最终还是克制住了自己的冲动。

阿喵也不是没有脾气的人，只是喜欢把事情憋在心里，喜欢逃避而已，可是这种“憋着”是有极限的，再加上我们在旁边鼓动，她终于鼓起勇气反抗了。她第一个反抗的对象就是睡她上铺的室友，每天深夜还会和人偷偷聊天，把床铺晃得让人睡不着觉。

阿喵憋红了脸说："能不能麻烦你晚上不要晃床？我被吵得睡不着觉。"

"我就是要晃怎么了？你睡不着觉还能怪别人？"

"那等你睡着了之后，我也晃一晃床看看，希望那时候你也不要找我。"阿喵回了一句，室友顿时不说话了，虽然嘴上还是会不开心地嘀咕两句，可是她知道自己理亏，后来就收敛了许多。

第一次"维权"成功，阿喵激动得满脸通红，敢说出来第一次，后面的就变得简单多了，不然别人为什么会说大部分的事情只有第一次和无数次的区别？对别人的无理要求，她敢去拒绝了，她不想做的事情，也不会勉强自己说"可以"了。

她很快就发现，其实反抗和拒绝也不是那么难的事情。有的人属于你不说，就会得寸进尺的那种类型，也有的人是你不提醒，他自己就意识不到。他们这些人都有一个共同特点，你直接拒绝和反抗，他们就不会再做什么了。

后来阿喵说："当时的确有一点埋怨你们，为什么不肯帮帮我，我们不是最好的朋友吗？你们明知道我处理不来这些事情的，却还袖手旁观。后来迫不得已，我就只能自己学着去做这些事情，没想到还真就打破了之前给自己设的限制，所以现在特别感谢你们，能够给我一个靠自己的机会。"

我同样十分庆幸，没有以照顾的名义对她横加干涉，能够保护她一次两次不受伤害我能做到，但这样却直接阻断了她自己成长的机会。她说："以前习惯性依赖你们，忘记了这是我自己也能做好的事情，但有了你们之后，我甚至都不会自己尝试着去做一下。现在我知道了，有些事情是一定要自己去做的，谢谢你们！"

毕业之后我们三人各奔东西，不在一个城市中，我和晨晨还是会担心阿喵过得好不好，同时也知道，没有我们，她自己也一样能有快乐而幸福的人生。

后来在工作中，我开始带新人，有的人对业务不熟练，遇到小问题就喜欢求助于同事或者我。我就特别不近人情地说："框架已经跟你说过了，你只需要按照我说的框架去完成就行了，剩下的小问题我知道你可以解决的，别急着问人，自己先想想该怎么做。"

前辈的作用不是随叫随到的私人咨询师，一遇上麻烦就找他们帮忙处理，这样下去你永远都不会成长，而且有的问题的确很简单，想要入门当然得靠自己努力。没想到时间一长，我在很多新人的眼里多了一个"不近人情"的标签，类似的外号也应运而生。

如果有人不小心被分到了我的小组里，其他人还会对他表示同情，"你真的太惨了，据说她不喜欢带新人，脾气不好不说也没什么耐心，所以你可千万要小心点。”

洋洋就是这么一个“运气不好”的新人,跟了我一段时间之后，他就特别积极地跟领导申请调离我的小组，理由是他觉得自己已经会了，可以独立做项目了。至于真正原因，那当然是想早点离开我这个“火坑”。

领导还有些担心，一面问洋洋需不需要再跟着哪个前辈学一下，一面又找我聊了一下，让我以后不要太严厉。不过这次谈话效果不太好，因为回去之后我依旧我行我素，而洋洋也不需要另外找个师傅了。

当洋洋开始独立做项目时，他才意识到了自己和同期进来的新人的不同，当别人还在慢慢摸索的时候，那些东西他都已经掌握了，“这些很简单啊！”

“简单吗？她那么没有耐心，竟然还教了你这么多窍门？我的那位领导跟我说了几次，我都没有懂。”

“她没有教我，是我自己学会的。”洋洋说。时间久了，他便明白了，有的东西可能真的要靠前辈来指导，可是有的东西，最终还是得靠自己去实践才能掌握，每个人做一件事的技巧都是不同的，照搬别人没有自己的灵魂，想要将别人的经验转换成自己的经验就得花更长的时间。

习惯性求助于人，什么时候才能拥有独当一面的能力呢？职场上需要的不是好学的学生，而是能够迅速进入状态的职员。

洋洋明白了我的苦心，专门来感谢我，说："很多好意都是要后来才能发现，比如你的良苦用心。谢谢你当时的袖手旁观，给了我最好的成长的机会。你没有少教我什么，为什么你听到了那些流言蜚语却不澄清？"

我无所谓地耸耸肩，说道："没关系的，能理解的人迟早会明白，但是对不能理解的人来说，我的确是一个糟糕的前辈，无法给他们提供太多的帮助。我也很高兴，我淘汰掉了弱者，让优秀的人生存下来。"

对我带的新人而言，没有太多的适应时间，没有温柔的手把手地指导的过程，当他们明白靠自己很简单，他们就可以迅速成长，当他们依旧习惯了依赖，无法破除这个舒适区，等待他们的只有淘汰。

不论是学习、工作，还是生活，终将有一天，我们会遇到只能依靠自己完成的事情，再怎么艰难，都要自己独自负重前行。遇到这种艰难时刻的你，做好准备了吗？

亲朋好友会学着去放手，而我们自己，也要学着一个人成长。小时候学走路，跌跌撞撞，摔倒了，大人看着心疼，却也不会去搀扶，因为他们都知道，你可以靠自己站起来，然后学会这个技能。长大之后同样如此，有些能力需要自己去获取，有些坎坷需要自己去跨过。

就如那句话描述的，“鸡蛋，从外面打破是死亡，从里面打破是成长。”当遇到这种时候，请不要慌张，不要怨艾，别人放手是因为他们知道你是可以的，当你成长之后，再回过头，就能看到一段孤独而灿烂的时光。

生命可以随心所欲，但不能随波逐流

有个叫阿青的女孩向我诉苦，因为她觉得自己的思想比较超前，无法被身边的亲朋好友理解。

怎么个超前法呢？她说：“我追求的是人生的自由，去做自己想做的事情，人生短暂，就应该尽情享受生活啊。”

高中毕业，阿青看到很多人去毕业旅行，徒步川藏线，她就想去；有人休学一年作为间隔年，去各大高校游学，她也想去；填报志愿的时候，她觉得哲学系的格调很高，想要填报这个志愿……上面的这些想法没有一个是被家里支持的，就连向来宠她的爸爸妈妈都凶了她，好朋友也是不愿意加入她的计划，反倒是问了一些无聊的问题。

“我已经成年了，可以为自己的生活做主了，为什么还要过得这么不自由？这不是我想象中的美好生活应该有的样子。”阿青觉得自己的想法很酷,她已经做好了和家里人长期“作战”的准备了，如果我有办法说服她的父母同意她的想法，那就再好不过的了。

可是我却不准备帮她说服她的父母，而是问：“你是怎么产生这些想法的？”

“我会去逛一些有趣的论坛，里面有很多前辈给我们传授经验，教我们该如何让自己的人生更丰沛？”

“那你有做什么准备吗？比如说去徒步，你知道路上要带什么东西？会经过哪些地方？”我问道。

阿青不喜欢这些琐碎的问题，说：“怎么你也和其他人一样？既然要追求自由，当然就要继续贯彻这个理念，反正不会饿死、冻死，我边在路上走边准备就好了，现在各地都这么发达，想要什么直接买就行了，带够了钱就可以。”

一听她说完这话，我就明白为什么她身边的人都阻止她的这些决定了。

我说：“我觉得这些论坛的攻略里面还会有他们具体怎么准备，怎么行动的具体细节吧？为什么你只听了最表面的那些提议，却不看具体的细节内容呢？”

阿青就说：“如果我照着他们那样做了，那就只能叫作模仿了，我想靠自己的力量去寻找生命的意义与自由。”

我笑而不语看着她。她的行为看似是在寻找属于自己的自由，可从本质上来说还是在模仿别人，何谈追求独属于自己的自由？

努力去过自己想要的自由生活，这无可指摘，所有人都羡慕这样的生活。可是“自由”不是无根之萍，不代表它就是随波逐流一生爱自由。

我见过很多行走过川藏线的旅行者，也见过很多休间隔年的人，他们从一开始就知道自己想要的是什么，然后会制定详尽的计划去执行。在随心所欲的生活中，他们会遇到各种各样的困难，但是他们早已做好了准备，因为那样的生活不是轻易就能够得到的，既然选择了这条路，那就必须风雨兼程。

如果随心所欲的生活轻易就能够做到的话，那大家岂不是都皆大欢喜了？正因为不可能轻易做到，所以想要这样生活的人才需要格外努力，达成所愿之后才会被人格外羡慕。

所以我不反对任何人去追求自由，我害怕的是明明不懂什么是自由，却标榜自己追求自由。其他想休间隔年去游学的人，有的是为了去观察世相，有的是为了去看看各大高校的理念，有的是为了交友，可阿青明显没有这样明确的目标，她只是单纯觉得，这样做很酷，很有个性。

可是“酷”这个东西有点浮于外表，没有内涵，别人一眼便能看清这空洞的本质，随心所欲失去了心中的目标，就成随波逐流了。

阿青现在的状态就是听不进别人的意见，我就说：“那这样吧，徒步川藏线需要体力，你先绕着整座城走一圈，先看看这个城市的风景，只要你做到了，我就帮你想办法说服你的爸爸妈妈，可以吗？”

阿青接受了这个提议，虽然她不想去做这些“没用的事情”，不过她可是要徒步川藏线的人，绕全城走一遭不是轻轻松松吗？

三天后，她哭丧着脸，风尘仆仆地来见我，说：“不用帮我说服爸妈了，我不去了。”

徒步所在城市的过程中，阿青便吃了不少苦头，首先是物资没准备好，她轻装上路，觉得随时都可以买到水和吃的，结果走到城市郊区的时候，连超市的影子都看不到，踌躇许久，她才找那边的住户要一些水喝。她在走了一段之后就走不动了，自己又碍不下面子，不想放弃得太早，她咬牙坚持了一段路程，然后就直接一屁股坐到了路边……

其中的苦楚，寥寥几行字完全说不完，十多年没吃过苦的她，在这两天时间里她吃了够。还没有徒步完全城呢，她就坚持不下去了，随手就打辆车到了我这里，说她准备放弃了，这跟她想象中的自由完全不一样。

阿青又狐疑地问：“你是不是故意的？”

我坦言相告：“是的，我想，既然你有这个追求自由的勇气，那么就该拥有这个执行力。因为嘴上的自由都很美好，但是实际得到自由却需要你付出相应的努力。不要看别人做——很酷，你就想着做，这压根就是随波逐流，是跟风，就变得一点都不酷了。”

阿青没有怪我，反而说：“谢谢你，我知道以后该怎么做了。”她不想盲目地跟着前辈们做那些看似很酷的事情了，在没有自己的想法时，她决定先听一下家人的意见。

后来我也不知道阿青还有没有想要去追逐自由，如果有，那也很好，因为相信有了这次的经历，她便明白什么是自由了，也明白自己该怎么去做了。

自由不是别人说什么就是什么，每个人对自由的理解是不同的，想要的东西也不一样，跟着自己的心走，做自己想做的事情，才是最大的自由。

好友阿铁就是一个极好的例子。阿铁过着非常自律的生活，但这样的生活在有些人眼里却没有什么自由可言，可在知情人的眼里，他是所有人中活得最自由的。别人觉得遥遥无期的生活，他一直就在过着。

学生时期的阿铁成绩不好，每次都是吊车尾的位置，他们班基本上都是不怎么喜欢学习的人，可突然有一天，阿铁开始学习了，不再参加各种娱乐活动。其他同学劝他说："都已经这个时候了，没有学习的必要了，反正赶不上别人的，不如尽情地享受青春。"

阿铁说："我的目标是考上重点大学。"

一群人笑开了，觉得他是异想天开。渐渐地，大家就不跟他玩了，让他做自己的白日梦去，等明白逆袭是不可能的，阿铁自然就回来了。可是阿铁无视了那些声音和眼神，继续做着自己的事情。

一年后，阿铁杀进了整个年级的前五十名，重点大学近在眼前，跌破了一群人的眼镜。后来他考上了一个很好的大学，也找到了一份不错的工作，依旧保持着自律。

我问他："你是怎么做到一直这样自律的？很多人都会有放松下来的时候，为什么到你这里就没有呢？"

阿铁觉得我的这个问题有点奇怪，好像这压根是不值一提的小事情，"他们觉得他们想要的是休闲，所以他们就这么做了，可是我想要的东西我也很明确，所以我就这样去做了。"

突然想要改变，是因为那时候的阿铁看到重点大学的学生在做兼职的时候要比别人更受欢迎一些，可以更快地实现财务自由。当然，后来他的想法随着时间的变迁也改变了，变得更成熟，也更理智，但是他始终明白一点，那就是随波逐流不代表随心所欲，想过理想的生活，那就应该付出相应的努力和坚持。

自律的人活得不自由？那绝对是不懂自由的人会说出来的话。像阿铁，工作一丝不苟地完成，该加班就加班，可是该休的假期同样毫不含糊，目前在世界各地都布满了自己的足迹，他的物质和精神都是自由的。他从来不怕得不到自己想要的东西，因为他知道该怎么做。

自由的人生，是不会迷茫的，自由的人，敢去做逆袭的事情。

生来就享受自由，那样的可能性太小了。可是能够随心所欲地生活的人却很多，因为在漫漫人生中，他们都找到了各自通往自由的路。

随波逐流是一种自我放逐，不知道自己想要什么，就盲目地追求所谓的与众不同、遗世独立，这样的做法与随心所欲的本质是背道而驰的。随心所欲的人，会跟随自己的内心，去寻找、去追求。在这个追求的路上会有风风雨雨，却也没有阻止他们前进的脚步。

愿你在那茫茫的声音大海之中找到自己的声音，愿你找到属于自己的位置，过上随心所欲的生活。

好的人生，需要你去“刻意选择”

之前听人闲聊，谈及原生家庭的影响，有人唏嘘感叹，“原生家庭的影响太大了，又不是自己可以选择的，根本逃不过。”仿佛一个被剥夺的选择权就决定了一个人毕生命运似的。

我无法否认原生家庭对一个人的影响，可是一个选择定终身这样的说法也太过武断。我们的一生中可以做出的选择那么多，却一直纠结于一个我们无法主动选择的问题上，反而会错过许多其他的风景。

电视剧《都挺好》的热播再次将重男轻女的传统观念呈现给了大家，如果记忆力还好的观众应该会想起电视剧《欢乐颂》中的樊胜美，与苏明玉的家庭环境如出一辙，顺便也带火了“扶弟魔”等等的热词，可她们两人的命运却是那样的截然不同。

樊胜美因为家庭的桎梏，生活一团糟，在深夜里绝望痛哭。而苏明玉事业有成，事业爱情双丰收，通过自己的努力从桎梏中挣脱了出来。

家庭的偏见会让苏明玉伤心，可是她自己知道该如何走出泥淖，摆在她面前的选择有很多，她选择对母亲的无理由偏心说不，她主动选择追求自己的事业，不当依附他人的菟丝子，她选择爱他人与被他人爱，而不是受原生家庭的影响战战兢兢，成为感情的失败者。

你看，懂得做出选择的人，手上即便拿着的是烂牌，却也能打得十分精彩。因为他们知道，手中的牌是流动的，只要你愿意，完全可以来一个王炸。

朋友小王是一个运气不怎么好的人，怎么个不好法呢？就是他觉得自己天天在逆水前行，买彩票从来没有中过奖，偶尔翘课还被老师精准点名，平地摔算什么，就差天上下刀子，喝凉水塞牙缝了。为了改变自己这糟糕的运气，他每到寺庙就许愿，身上挂满了幸运符，转发锦鲤里面肯定能找到他的身影。

可是不知道什么原因,这些“神奇”的方法对他都没有什么用，用小王本人的话来说就是：“转发了那么多锦鲤，却仍过不好自己的这一生。”真是闻者伤心见者落泪。

他理所当然地将所有的问题都归咎运气不好上了，考试没考好，是运气不好，因为考的内容正好是他没有复习过的；工作出现失误，数据弄错了，是运气不好，明明他一开始看得好好的；业绩不行被辞退，也归为运气不好，不然怎么会进这么一个绩效整体不行的公司，赶上被辞退的大潮呢?

朋友劝他去做点什么事情，他总是会摆摆手，摇头叹气地说：“我做不到的，我这个人运气不怎么好。”

我跟他说，你的确做不到，不是因为你的运气有多么不好，而是因为你自己选择让事情变坏。如果是倒霉，说不定还有转运的机会，可是自己选择让事情变糟的话，没有任何话人能帮得到他。

他不服气地说：“又不是我自己想要这样的，谁希望自己的生活过得乱七八糟的？”

是的，没有人愿意生活在不幸之中，但是有一些人选择逆流向上，也有一些人选择随波逐流，顺流而下。小王明显就是后者。

小王完全可以拥有另外一种人生，复习的内容没考到？那说明还是复习得不到位，要是所有课本内容都吃透了，还怕考超纲题吗？那些被称为学霸的人靠的不仅仅是运气，更多的是实力。他本来可以过学霸的生活，拿不菲的奖学金，但是他自己错过了。

工作之后，他可以勤勤恳恳，仔细核对每一项数据，把表格交上去之前再仔细核对几遍，还能出错吗？如果能，可能只能归为灵异事件了。说到底这不是他的运气差，而是他本人太粗心。

出了几次差错，裁员潮一开始，自然他就榜上有名。

可公司还没有倒闭，留下的员工也有很多。如果他做得足够好，又怎么会成为第一批就被淘汰的人？

将所有的问题都推给运气，那每个人都可以轻松了，也可以毫无负担地生活了，但这样做终究无法从根本上解决问题。

我告诉小王："运气不好可能是一时的，但因为运气不好就不做选择，或者选择放任自流，那是一辈子的。如果你想打破运气不好的诅咒，就得更努力地去做自己想做的事情，那些过得很好的人不是运气比你好，而是他们更懂得比你珍惜选择。"

我给他说起了另外一个朋友阿玉的故事。

和小王一样，阿玉也是个运气不怎么好的人。但是两个人有一个很大的不同之处，那就是小王是自己认为运气不好，可是阿玉却没有这样的认识。运气不好？说的肯定不是她。

阿玉还有个弟弟，虽然父母表现得不是那么明显，可还是会在不经意间流露出他们更重视弟弟，她需要洗衣做饭，弟弟不需要，有什么好吃的，做姐姐的要懂得谦让，弟弟可以上补习班，她都得靠自己的努力。

朋友吐槽她的家庭环境，阿玉就笑嘻嘻地说："哪有那么夸张？他们对我挺好的，弟弟也很好，老妈要是安排了不合理的活给我，他就先抢过去了。”

在职场上，阿玉是个女孩子，刚入职的时候就被前辈嫌弃：“怎么招了个女孩子过来？抗压能力不行啊，做不好说两句还会哭，出差还要考虑到女孩子一个人会比较危险。”

主管说话没有避着她，阿玉也没有反驳，只是工作的时候更加努力了。她相信别人的不认可，是因为她做得还不够好，如果她已经做到别人无话可说的程度，这些流言蜚语自然也就消失了。

后来阿玉理所当然的晋升了，现在她已经压过了之前的所有竞争者。就算跳槽，她也有了选择更好的职位的资本。

她依旧是个女孩子，她身上的弱点依然存在，可是这些弱点却不能阻挡她发光。

阿玉活得很清醒，她当然可以选择像弱者一样抱怨，只是抱怨之后只能等着别人来主宰命运，她永远都只能成为被选择的人。阿玉不想自己这样一直下去，也不想依赖于自己的运气，她要做的就是证明自己。

可怜的人永远都是在向上天祈祷，自强的人却永远在求助于自己。与其寄托于虚无缥缈的运气，不如用自己的努力来争取一个肯定的未来。

“不能说我的运气特别差吧，可是我肯定不能控制运气，那我就只能提升自己的实力了。”阿玉如是说。

谁不希望自己是天命之子、气运加身？可是梦想成真的人太少，我们只能依靠努力让自己变得更加幸运，将选择权紧紧地握在自己的手上，靠自己去选择更好的人生。

小王若有所思，我相信他知道该如何选择了。

这个世界上哪有什么天生幸运？好的人生都是经过刻意选择的结果。

有刚出生就站在别人终点线上的人，可他们和我们一样也会被诱惑，他们面前仍有许多选择，是裹足不前，还是彻底堕落，还是选择前行。那些糟糕透顶的人，面前也摆着很多选择，可他们却选择的是变得更坏，其实他们同样也可以变得更好，只不过他们没有这样选择而已。

所以有一首歌这样唱道：“在一瞬间有一百万种可能。”我不知道你正处在人生的哪个阶段，不知道你面前都有什么选择。但是我相信，你仍有很多种其他的选择，如果你不想被命运裹挟，如果你不想成为只懂得怨天尤人的人，那就选择向上，向光，向更好的方向发展。

我们都能看到，有那么一部分人出身低微，经历坎坷，却将生活过得风生水起。别羡慕，顺应不可改变的，选择可以改变的，你也可以成为他们中的一员。

有时候人们无能为力，失去选择权，那无可奈何。可是人生还有那么多个可以选择的节点决定你的人生，当面临这样的时候别让命运选择了你，选择权已经交到了你的手上，相信你能够做出一个让自己满意的选择。

第四章

天真的人，大多能走得更远

为什么你连“早睡早起”都做不到

有个知名企业的HR（人力资源）跟我说过，有时候应聘的人以为HR问的问题莫名其妙，无关紧要，但其实这些问题有可能是会决定应聘者去留的关键问题。

比如这样一个问题，“你有早睡早起的习惯吗？是怎样保持这样一个习惯的？”

大部分人回答的都是没有，毕竟对现在的年轻人来说，熬夜已成常态，这就像是年轻的标志似的，保温杯里的枸杞都已经泡上了，即便这样还是不会放弃熬夜。这个问题不是决定性的问题，但在这位HR的心中，应聘者的回答会占有很大的参考比重。

有人对这个问题不屑一顾，说：“这个问题想问什么？对工作而言没有任何意义，作息是个人的事情，反正不耽误上班就是了。”

但是在HR看来，作息对一个人真的会有很大的影响。习惯了晚睡晚起的人，他们在闹钟的呼唤下好不容易起床了，却会因为缺乏睡眠一整天都昏昏欲睡，没什么精神。哪怕能力很突出，在这样的精神状态下能够发挥出自己最好的水平吗？

而HR最怕的还是这么一类人，就是一直说着要调整作息养生，却从来没有做到过，或是做到了几天，很快就故态复发。这可能不止关系到个人的工作状态，甚至跟个人的品质和能力也有很大的关系。

正如这位HR说的那样，“我之前就淘汰过不少人，这些人在其他方面可能很优秀，但就是做不到早睡早起。他们给自己设立的职场目标毫无例外都很‘高大上’，可是他们连最简单的早睡早起都做不到，就会让人怀疑他们的执行力和毅力。”

执行力和毅力，正好也是职场上非常重要的两项能力。嘴上说得很好听，但在实际行动中不靠谱，短时间内可能会讨巧，但是时间久了，弊端就显现出来了，这样的员工绝对会成为领导和同事最讨厌的人。

之前这位HR就招聘过一位这样的员工。

A的简历看起来很华丽，聊了几句之后发现他侃侃而谈看起来能力很强，也很靠谱的样子，招到好员工HR是最高兴的，当时她同样也问过这样的问题，“你会早睡早起吗？”

A答道：“我没有这样的习惯，因为大家都是年轻人，你懂的，不过如果公司有要求，那我肯定是能做到的。因为平时上课、比赛需要早睡早起，我都能做到，能够保持一天的精力充沛，晚睡不是没有好处，至少我能够加班比别人晚。”

HR一听这话，顿时觉得靠谱。一天后，A就入职了他们公司。

A刚来那会儿，能说会道，跟同事的关系十分融洽，领导还夸了他，说现在的新人都跟A一样靠谱就好了。时间不久公司便有了一个比较重要的项目，前辈带A一起跟进了，难度有点大，但的确是积累经验的好机会。如果不是他给大家的印象比较好，这种好事情基本轮不到他一个新人的。

可是一到重要的环节，A就开始掉链子，交代给他的任务基本都完不成，但是他永远都不会直接说“我不会”，而是等截止期到了，问他要的时候，他才说：“这个太难了，我做不出来。”或者说，“时间太紧了，我还没有做完，再给我一点时间。”

原本胜券在握的项目，被A这样一搞，波折迭起，幸亏那位前辈的经验丰富，熬了几个通宵帮他收拾好了烂摊子。快到项目汇报的时候，他差点迟到，最后一个冲进会议室，让客户频频回头。

好在前辈们能hold（控制）住场面，私下跟客户道歉，表示A是新人，业务不怎么熟练。

经此一事，大家对A的印象彻底改变，就让他以后多历练历练。A颇为不服气，逢人便抱怨公司里的前辈仗着老资格排挤他，他是新人，搞砸事情不是很正常的吗？说到底还是这些前辈没有做好相应的准备。

这话后来传到了前辈的耳朵里，差点被A的话给气笑了，从信誓旦旦表示自己可以，到这个不会，那个不行，也没过多长时间。嘴上说得好听，可是实力却极为不靠谱。

不久之后，A就从该公司离职了。

有了他做前车之鉴，HR再招人的时候就特别注意这一点，做不到早睡早起，还夸夸其谈的人，在HR这里得到的分数总是最低的。是啊，谁都知道早睡早起看起来很简单，可为什么这么简单的事情，你还没有做到呢？为什么这么简单的事情，你还要找借口呢？

这时候就不得不说一个“别人家孩子”的故事了。

B君从小到大，都是我家小区这边被人夸赞的对象，哪哪都好。我也特别欣赏他，不仅因为他的工作生活样样出众，还因为他所表现出来的那种积极向上的精气神，兼顾他身上的那种自信和谦逊，在我觉得只有真正的成功人士，才能拥有这样的气度。

于是我就问他：“你觉得你身上的这些品质中，什么品质最重要？是什么让你获得现在的成功的？”

B君的回答出乎我的意料："我觉得是早睡早起。"

我以前的想法和大多数人差不多，不就早睡早起吗？应该很简单的，恰恰相反，当你真正去做到的时候，才知道这是一件挺了不起的事情，至少我周末有时间也会赖床，能不早起就不早起。可是要说这有什么特别神奇的作用的话，好像也没有那么玄乎。B君那么多的优点，为什么偏偏提了最不起眼的一个呢？

"为什么是早睡早起？"我刨根究底地问道。

B君说："其实你在大街上一眼看过去，可能不知道对方身上穿的是什么牌子的衣服，不知道口红是什么色号的，不知道对方有没有钱，但是，能不能早睡早起一眼就能看出来，两类人的精神是不一样的。"

"每天早睡早起，让我的精神状态很好，以最好的状态面对工作，有什么事情是做不成的？自然而然地，你就会变得自信且强大。我现在拥有的很多东西，都是这个好习惯给我带来的。不信的话你可以自己对比一下。每个能够坚持做一件事很长时间的人，都会变得足够优秀。"

B君也不是一直都能做到早睡早起的。刚考上大学那会儿，他觉得自己已经奋斗得够多了，可以休息一段时间了，便开始通宵玩乐。没多久，他看到镜子中的自己，胡子拉碴，头发凌乱，眼睛红肿，像是老了十岁。

他被这样的自己吓了一跳，只是改变了一下作息时间而已，就让一个人变得如此颓废。他有点后怕的同时，也意识到了早睡早起的重要性，反正他自己是不想继续过这么糟糕的生活了。

从那以后，B君就过上了和不少年轻人背道而驰的生活，有人笑他老干部，他笑而不语，有人让他偶尔也放纵一下，他说放纵只需要一天，将这个习惯维持下来可能需要一年，不能破戒，太不划算了。

我对早睡早起的神奇功效有些好奇，就直接做了一个对比，发现早睡早起几天之后就连空气都变得格外清新了，心情也轻松愉悦了起来。B没有夸大事实，他只是体会到了早睡早起的好处，并用自己强大的执行力贯彻了下去。

其实也不需要靠我来强调，早睡早起的好处，很多人心知肚明，只是能坚持下来的却只有少部分人，只有执行力和毅力都充沛的人才能笑到最后。

你相信吗？在职场上升职加薪最快的人，不一定是加班熬夜到最晚的人，而是那些早睡早起没有什么负担的人。肯定有人会说，这里面有什么职场潜规则，最辛苦的人无法得到相应的回报。

但是辛苦从来不等于效率，聪明的人知道该怎样让自己以最好的状态面对工作，没有熬夜的后遗症疲惫，也不需要咖啡和浓茶提神，当有些人还不知道自己要做什么的时候，他们的工作已经完成了大半。

于是当别人在加班的时候，他们就轻轻松松地拎着包回家了。在这样的良性循环之下，当你还在抱怨工作太辛苦、时间不够用的时候，早睡早起的人已经脱颖而出了。

差距往往不是在最难的环节出现的，而是在最简单的事情上日积月累,积少成多的。亲爱的朋友,你可以因为各种原因被刷下，但是千万不要被这最简单，你最容易做到的事情淘汰啊！如果觉得可以做到，那不妨想想，为什么最终没有做到呢?

仪式感就是生活的高级感

朋友晓涵是身边的人都羡慕的对象。她家世普通，学历普通，工作普通，后来却找了一个“高富帅”的男朋友对她死心塌地，将她照顾得无微不至。

问她有什么秘诀，晓涵笑而不语，反倒是她男友为我们解惑：“你们以为她是和我在一起了之后，在我的帮助下才过得很好的吗？不是这样的，她自己的生活本来就很高级了，和她在一起反而是让我变得更好，我有不爱她的理由吗？没有。”

没错，晓涵是一个特别懂得生活的人，有男朋友之后是这样，有男朋友之前更是如此。她没有很多钱，却很注重生活的仪式感，学业、工作有什么突破，邀约三两好友庆祝一下；生日了，工作再忙也要买个小蛋糕；节假日，她也要找个方式庆祝一下。

“这样会不会太夸张，太浪费钱了？”

晓涵一脸坦然地回答：“不会啊，其实仔细算下来，一年也不一定会在这些事情上花太多的钱，可能还不如随便买的一瓶面霜。但是最重要的是其中的仪式感，意义是完全不一样的，这么一做，你就会感觉自己过着和别人不一样的生活，你的生活有血有肉，哪能学别人麻木不仁？”

她说起一件事。有一年她过生日，正好在外面出差，第二天就要和客户谈项目了，年轻的忐忑再加上满脑子都是生怕出什么岔子的念头。到酒店的时候已经是深夜，但晓涵还是不适应没有仪式感的生日，外界的条件越不允许，越不应该在这种事情上亏待自己，还是跑出去买了块小蛋糕。

当时附近的蛋糕店正要关门，店员马上要离开了，晓涵一下子冲过去说：“能不能卖一个小蛋糕给我？今天是我的生日，别人说多少句不管走不走心的生日祝福，总不如自己为自己做点什么有真实感。明天还有一个很重要的项目等着我，我想要拿出最好的状态面对。”

“小蛋糕已经没有了，不过我留了一个带回去给自己吃的，你介意吗？”

晓涵当然不会介意，给店员转账之后，店员还说了一句：“祝你生日快乐，明天你一定会很顺利的。”

那时候晓涵明白了一个道理，当你过着有仪式感的生活时，就连遇到的陌生人都会努力为你实现梦想。第二天的项目谈判很顺利，然后她又去那家烘焙店买了一个蛋糕庆祝。

她用有限的经济，却将自己的生活过出了无限的可能。

晓涵的男友也说了一件事，“我们在一起的时候，也经历过吵架，有一次吵得两个人都很难受，我工作正忙，没有力气哄她。就在我们冷战的时候，有一天回家，突然发现电视屏幕正放我们的照片，她把照片做成了H5链接的样子，有点像支付宝年终报告的样子，写了我们在一起多长时间，去了哪些地方，都有过哪些约定等等。”

晓涵喜欢拍照，却很少晒朋友圈。以前她男友还不明白为什么，这个时候他才恍然大悟:她不想、也无须跟别人炫耀什么，她想要留下的，是他们在一起的点点滴滴，每一个值得记忆的时刻。

所谓仪式感，并不一定是多么高大上的东西，当你觉得某个时刻很重要，那个时刻自然就变得珍贵了起来。

那一天是他们在一起的一周年，晓涵从来没有提醒过男友一定要送她礼物,她已经准备好了惊喜。晓涵走过来抱住他,“你说每年纪念日我们都要去旅行，去看不同的风景，今年很不巧没有出去，就只能看看过去的风景了，可是我还是希望你能够喜欢。”

男友很用力地将她抱起来转圈，眼眶微红地说：“我很喜欢。”他见过山也见过大海，他去过很多的旅游胜地也认识过很多风情迥异的女子，却从没有人能跟晓涵一样制造出幸福的生活，然后将这种幸福感传递给他。

也就是在那个时刻，男友非常确定想要和她永远在一起。

后来每一年纪念日，他们都会去旅行，去发现各地的风景与风情，去为生活的仪式感寻找新的途径。

我不知道晓涵的男友没有遇到她会不会一样幸福，但是我能肯定，没有他，晓涵依旧能把自己的生活过得很“高级”。

有一个读者跟我诉说生活的辛苦，姑且称她为陈小姐吧。

她出身农村，家境普通，一直想要通过努力改变命运。在一众抱有这样想法的人中，陈小姐算是成功的，她凭自己的努力考上了名校，上学期间两耳不闻窗外事，一心只读圣贤书，每年都拿奖学金。毕业后，她凭借优秀的成绩进了一家不错的外企工作。

工作之后，陈小姐发现职场和学校有很大的不同，她蒙头努力却没有带来相应的好处，反而让她觉得周围的环境很艰难。陈小姐生出过很多次辞职的念头，像父母劝说的那样，回老家考个公务员什么的，轻松悠闲，符合家乡那边对一个女孩子的期许。

可是陈小姐对比了下大城市的繁华，又看了看理念落后和设施也没有发展起来的家乡，还是咬咬牙留了下来，她不想成为被大城市淘汰，只能回家乡混吃等死的那种人，她希望能够在这个城市拥有一席之地，也做好了为此付出更多的准备。

渐渐地，她明白努力并不一定都会打水漂，而是在职场这个地方，你的努力需要累积到一定程度才能被别人看见。

十几年如一日，陈小姐如同一根紧绷的弦，始终不敢松懈，她住在城市的郊区，每天都要花几个小时的时间通勤，有时间就自己做饭，没时间就去沃尔玛买面食，很少买衣服，更别说包包、化妆品这些东西了。

陈小姐如愿以偿地将职位升得更高，也存了一笔钱，够她付一栋小公寓的首付。当然，这时候她的理念又变了，家乡那边的房价一直在涨，她就直接全款买了家乡那边的房子。

亲戚朋友看到了她的能耐，除了偶尔会酸言酸语几句之外，更多的是觉得她有能耐，等以后她回老家了一样能过得舒舒服服。

陈小姐觉得，这应该是她能够扬眉吐气的时候了，可是她变得更开心了吗？没有，她好像还沉浸在那种苦行僧的焦虑中，拿着钱她也不会刻意去消费，她能够感受到那些来自下属的非议，“那个‘老女人’真的太奇怪了，明明赚了不少钱，但连对自己都那么吝啬。”

父母亲戚也没少说她：“钱也有了，事业也有了，什么时候考虑结婚的问题啊？”

“女孩子还是应该软一点，才能讨别人喜欢，你这个岁数，已经不能挑了。”

陈小姐并不害怕别人的异议，她自己也会感觉到惶恐，是因为她知道他们说的是事实，她牺牲了自己的时间、青春、爱情，看似得到了物质上的满足，但她并没有快乐的感觉，反倒是有着浓浓的疲惫和困惑。她怀疑自己是不是选错了人生的道路，才会让自己的每一步都走得那么艰难，明明是一个高级白领，却活得像是搬砖的苦力似的，越活越倒退了。

我给她讲了晓涵的故事，“我不觉得你是选错了人生道路，只是你对自己不够好。升了职、买了房子，你自己却没有一个直观的认识，因为你没有享受到这些给你带来的幸福感。我想，你要做的第一件事，就是邀请你的朋友或者同事去庆祝一下你买了房子，做了这么多，也要让自己感受得更真实一些。”

陈小姐将信将疑地问：“就这么简单？”

“你可以做出来试试看。”

她抱着试试看好像也没什么损失的心态去做了，做了之后，她突然发现自己在同事中好像受欢迎了很多，有下属还敢调侃她了，“陈姐，你以前太高冷了，都不跟大家出来聚聚，我们对你的误会自然就多了。”

陈小姐逐渐融入了大多数人之中，遇到好事，跟大家一起聚会分享，遇到伤心事，没什么是一顿烧烤过不去的。没有花很多钱，可是她能够感觉到跟人分享伤心与快乐之后，心情更加舒畅，生活也更加美好了。

“只改变了一点点，我却觉得自己的生活突然充满阳光似的。”

这就是仪式感的神奇之处，活得高级的人，是能够和生活产生真正联系的。

就像晓涵说的那样，“仪式感的精髓就在于你能够清晰地认识到，生活不是一成不变的，生活中美好的事情还有很多，可能你一忽略，这些美好就消失不见了，可只要你在乎，这些美好就会得到放大。”

有的人拿着很多钱也没有办法过好自己的一生，不一定是因为他太过贪婪，有的人拿着很少的钱，却能将自己的日子经营得有滋有味，也未必是因为他擅长精打细算。他们最大的区别，可能仅仅在于有没有生活的“仪式感”。有仪式感的人，在泥泞之中也能感受到幸福，因为他们珍重手中的每一点微光。

仪式感教会我们的是去在乎，去寻找和记录生活的美好之处，觉得幸福的时刻多了，又何必担心你的生活不够高级？

永远不要低估你自我改变的能力

一年前在微博上收到一个叫波波的人的求助。波波年到三十，在一家效益普通的国企上班，每天都在跑项目，拿着普通的薪水，看不到任何晋升的希望。刚毕业那会儿,他的薪资持平大部分同学，过了七八年，早就被老同学们甩开。

波波早已萌生退意，可是到了他这个年纪，需要考虑的东西太多了，没办法像刚毕业的小年轻一样率性自由，想留就留，要走就走。他要考虑存款，考虑家庭，考虑下一份工作是不是能够像现在这样稳定，阻碍他的东西太多了。

“我想换一个行业重新开始，可是这意味着要和那些应届生竞争，我好像也没有什么竞争力啊。”波波烦恼地说。

工作了这么多年，很多职场潜规则他都了解。比如说HR招聘老员工，就是看重对方的履历，如果没有这个履历，他们肯定更愿意招聘应届生，因为应届生的可塑性比较强，精力充沛，接受新事物的能力也比较强。既然有“物美价廉”的小鲜肉，为什么还要找没什么优势的老员工呢?

波波知道自己的情况不容乐观，可是再不辞职转行，以后就更没有什么机会了。之前就是因为纠结了太长时间，所以才会一直错过。

我问他：“考虑好改行之后做什么了吗？”

“准备去私企做项目工程师，也算是跟我之前做的有那么一点关系。在国企的时候就有跟做这个的人打过交道，该懂的东西我都懂，我自己也买过一些资料书来学习，就差把资格证考出来了。”波波这样说。

他这是万事俱备，只欠东风啊！对于有准备的人，我是不吝给予这一点东风的，“你找时间把资格证考了，在辞职之前就把工作确定下来，既然是改行，就别想着一步登天，跟别人一样慢慢来。”

波波犹疑道：“我也不是想一步登天，就是不知道自己这么做是不是正确的选择。要是改行失败，自己被淘汰了，高不成低不就，老婆孩子都得跟着我喝西北风。”

“我无法肯定地告诉你，这就是正确的选择，因为我没有未卜先知的能力。可是我想着，你既然已经做好了相应的准备，也清楚自己现在的处境，现在差的只是临门一脚的决心和勇气。你害怕转行之后被淘汰，可是再这么犹豫下去，你就是被自己的同龄人甚至是后辈淘汰的那一个。你担心自己高不成低不就，现在你已经处于这种状态了，趁早改行才是最好的办法。”

波波想要改变又害怕改变也不是一天两天的事情了，因为始终下不了决定，错过了最好的时候，我可不希望看到他继续错过现在。都说种一棵树最好的时间是十年前，其次是现在。改行最好的时间是在波波犹豫之前，其次就是现在。

“现在不走，以后更走不了，因为跳槽的激情就是在犹豫中被消磨的，越到后面，牵绊你的事情就越多。也不要担心自己毫无竞争力，至少你为人处世这方面比应届生成熟许多。你的人脉也要比他们多，还有很多你自己都看不见的优势，这就是你改行的资本。人从来都不是害怕改变，而是害怕改变带来的糟糕后果，一不小心，把所有的优势给弄没了。”

波波是一个执行力很强的人，当然这跟他之前考虑了太长时间也有关系，下定决心之后，他就在各大招聘网站上投了简历，报名了资格证考试。不到一个月，他从原公司辞职，虽然领导承诺给他加薪，却依旧没有挽留住去意已决的他。

他说：“如果是在还没有下定决心之前，给我加薪，说不定我就真的留下来了。可是我现在已经想清楚了，离开是最好的选择，因为一点小利放弃更好的机会太不划算了，他们愿意给我加薪，就证明我的价值不止于此，所以我更应该离开。”

他的新工作是从工程师助理做起，真的是和应届生们站在同一起跑线上的，得到“关爱”的眼神不在少数，还有人说：“哥，待在国企不挺好的吗？你跳出来很累的，经常加班熬夜，你身体能吃得消吗？”

听到这话，就是原本想放弃的波波也得挺直腰杆，身为一个男人，怎么能被这些年轻后辈看不起呢？他要让这些新人看看，比他们多吃的几年饭，不是白吃的。

做出改变，其中的辛酸苦楚无须多言，他付出的努力肯定要比一般人都多，经历过的人都能明白。至少他的结果让他的付出有了回报，前几天聊起来，他说他的升职通知已经下来了，他做到了工程师主管的位置。

那些人说，“他一把年纪了，怎么竞争得过那些小年轻？”事实证明，他竞争得过，可怕的是在一念之差，继续待在原单位庸庸碌碌到退休了。

回想起来，波波也是后怕不已，“说实话，那时候的我只是想改变一下自己的人生轨迹，没想到自己能够做到这个程度。如果我连第一步都踏不出来，别说是一年了，可能一辈子都想不到自己能有今天。”

我从来都不是鼓吹“只要你怎么样,最终你就能怎么样”的人，我只是想说，改变没有想象中的那么难，也没有必要把自己限制在往日的窠臼里，那才是对自己人生的一种慢性谋杀。

阿飞自上了高中，就沉迷起了游戏，满脑子想着的都是跟游戏有关的事情，上课睡觉，课后作业不写，但凡有机会就逃出学校到网吧去，成绩自然也就是一落千丈。老师家长从寄予厚望，到漠不关心。

老师也拿他当典型，“你们千万别跟他学，他这是拿自己的人生开玩笑，现在是你们最关键的一个阶段，荒废了之后，就是想赶也赶不上来，你们就等着他以后后悔吧。”

高二学期过半，阿飞厌倦了游戏，懂了一些道理之后，真的感到后悔了，他决定重新捡起课本。可是对他来说，现阶段的课本就像是天书一样，要学必须从高一的课本开始，老师们当然是没有那么多的耐心为他一对一指导的，而且大伙儿普遍认为，阿飞逆袭的希望不大。

错过了最重要的学习阶段，这都能被他迎头赶上，别人不要面子的吗？再加上他们都不知道，阿飞想要学习是一时兴起，还是真的洗心革面。

老师继续拿他举例子，“高二非常重要，半点都松懈不得，大家都看到他后悔了，可是后悔已经晚了，错过的东西太重要，谁都不是天才。”

阿飞已经做好了最糟糕的打算，他也不着急，借来了同学的笔记，自己翻书看重点、刷题，高一的东西学完，他还在年级的倒数，高二的内容赶上来，他在年级的中游，查漏补缺之后，他的成绩让别人侧目。

阿飞说：“别人都不相信我能变好，这没有关系，因为在他们眼中我就是这么一个形象，可是如果连我自己都不相信自己能够做出改变的话，那我这辈子就真的可能是一摊烂泥了，我可不希望自己是这样的。”

是的，他也不是想要打脸谁，那是小说中才会出现的情节。他只是想在没有人给他机会的时候，自己给自己一个机会。他可能没办法变成最好的那一个，但是做出改变，肯定不会比原来更糟糕。他做好了最差的准备，因此无所畏惧。

当你处在人生的某一阶段，中途放下突然去做另外一件事情的时候，唱衰你的人肯定比比皆是，他们会告诉你很多听起来很有道理的话，“这个时候再后悔，已经来不及啦！你已经错过了黄金时期啦！”

于是本来就心存犹疑的你就更加犹豫了，想着算了算了，这果然是一个不成熟的想法，一个个可能性就这样被扼杀。

当你想要改变，不管多晚都不晚，只要你有改变的决心和毅力。做好了准备之后，不要纠结，不要犹豫，更不要畏惧，因为改变之后，只会更好，低谷之后，就是新生。当你做出改变时，就会发现，原来绊住你手脚的只是想象出来的困难，实际上只需轻松一跨便能过去。

当然了，改变永远都比一成不变难，可正是因为眼前的生活已经无法满足，才会想要改变。因为有改变，生活才不是一眼看得到头的一潭死水，在改变中才有弯道超车的可能。不要否定自我改变的可能，也不要低估自我改变的能力。

有多少人，活成了自己不喜欢的样子

还记得上一次去做自己喜欢的事情是多久之前？

还记得上一次放肆地笑、大声地哭是什么时候？

还记得上一次踌躇满志地做某件事，抱着不成功便成仁的心态是哪天？

莉亚无奈地回答我的问题："别拿这些幼稚的问题来问我了，大家都是成年人了，哪有那么多的时间做自己喜欢的事情？不管以前有多自由，不管以前的喜好是什么，都会慢慢地收敛起来。"

她的脸上有的是很多人熟悉的疲惫感，板着脸的时候像是以前我们最讨厌的教导主任。她才二十九岁，却活得像是一个被生活磨平了所有棱角的中年妇女，平静到麻木。除去那些恨嫁的家长会觉得这个年纪的女人是"老姑娘"了，这个时期应该是人一生中最强盛的时候，怎么莉亚就变成这个样子了呢？

在莉亚十七八岁的时候，是绝对想象不到自己会成为现在这样的。那时候的她算是一个叛逆少女，填报志愿非要按照自己的心意选择一个冷门专业，高考结束的那个暑假一个人骑单车环游整个城市，活得又酷又带劲儿。

那时候的她，总说："如果活得没有什么趣味，漫长的人生就像是重复某一天的言行，那我宁愿早点结束枯燥的一生。当然，我是肯定不会陷入那样的境地的，谁都无法阻止我过自己想要的生活。"

那时候，她脸上的笑容是那么的张扬，不管男生还是女生都愿意和她成为朋友，是名副其实的"大姐大"。

还没等我说："以前的你不是这样的。"她就给我罗列了一大堆的理由，无外乎养家糊口的那些事情，她的月薪看起来不错，但是跟所在城市的物价比起来，根本不值一提；就算有钱了，也没有那么多的时间，领导叫你加班你能不去吗？不表现得努力一点，怎么才能升职加薪呢？

"如果我是有钱人就好了，哪有这么多的烦恼？什么都不用考虑，想做什么就能做什么，可是我们这些普通人是不一样的。"

这和有没有钱真的没有太多的关系，反倒是跟人的心态有很大关系。有钱的人不一定成了自己喜欢的样子，说不定暴发户嘴脸惹得很多人生厌；没钱的人找到自己最适合的模样发光发热的也不是没有。

谁说成年人就一定要活得疲惫不堪，为生活奔波，彻底地在茫茫人海中淹没，成为面无表情的面孔中的一个？那一定是没有勇气、没有信心过自己喜欢生活的人拿来误导大家的台词。

认识一对青旅老板，男老板以前是一个上海的程序员，女老板在成都的一家五星级酒店当经理。按照各自原有生活的圈子，他们这辈子都不会有什么交集，各自过着“市侩”而又算得上是成功的日子。

可是他们都对眼前的生活不太满意，也许物质条件是满足了，但是每天的生活都被工作占满，不是加班到凌晨就是加班到深夜，他们都有着“脱发、失眠”的烦恼。这样的生活让人厌倦，当然也稳定得让很多“城外的人”想进来。

于是，辞职的念头便冒了出来，身边的朋友都劝，“别冲动啊，工作不就是一个熬字嘛，大家都是这样过来的，习惯就好。你这份工作多有前景，‘钱景’也不小，就这么放弃太可惜了。”

贸然辞职，不知道下一个岗位还有没有这么好的待遇。他们也算是老大不小了，辞职需要考虑很多的事情。可出乎所有人意料的是，两个平日都算是沉稳的人，都请了将近一周的假去西藏旅行了，“人往往是越考虑越沉重，我不想背负那么多的东西，先考虑一个问题，这么做我能快乐吗？如果能，那就没有什么好纠结的了。”

答案是肯定的，西藏是他们从学生时代就想去的地方，可是出于这样那样的理由，一直都未能成行。既然有钱也腾出了时间，为什么不去呢？两个人还没有认识，思想就先获得了同步。

他们在西藏相遇，不是同行的人，却有很多的共同语言，关于人生理想，关于他们想过的生活。西藏的风景很美，在那儿恋爱也很浪漫。未来何去何从还不知道，他们只知道这次错过，就不知道什么时候才能遇见了？

谁说成年人的世界里想的都是房子、车子？至少他们就没有，单纯地选择了让他们各自感到最舒服的感情。

回去考虑了一段时间，他们一起选择了辞职，男生从上海千里迢迢去了成都，他们拿出所有的积蓄开了一家青旅，不仅招待去成都游玩的游客，很多喜欢骑行、徒步川藏线的旅客都会在他们那儿落脚，聊聊青春，谈谈梦想。

不是没有人唱衰他们，开青旅是挺不错的，但肯定不如他们原来的工作。等他们的情怀死了，就会为自己的选择后悔，两个人说不定还会因此而分开，回到各自原本的位置上。劝了没用之后，那些人多多少少抱着看好戏的心态，侧眼旁观。

将近十年过去了，他们家的孩子都到了可以打酱油的年纪，却也没看到他们有分开的迹象。正好相反，在成都这个慢节奏的都市里，他们过得十分惬意，小日子过得风生水起。平时喝喝茶，健健身，和来自五湖四海的朋友插科打诨。明明都已经是奔四的人了，两个人站在十几岁二十几岁的年轻人中，竟也不显得突兀。

他们谁都没有想过要一夜暴富，可不代表他们不能将生活过得声色俱佳。对他们来说，想成为什么样子？那就去做好了。人生短暂，把所有的美好都寄托在梦想上面，那样太虚无缥缈了一点。

这对老板不是我认识的最有钱的老板，可却是最有趣的老板。他们也没能给孩子提供最精英化的教育，也没有送他去最好的学校，报很多补习班，但是他们带着他去西藏徒步，去各地观赏不同的风景，领略不同的世情。

我想，他们的孩子长大以后也许无法成为最厉害的那一拨人，可他一定会成为豁达、开朗、明智的人。因为他的爸爸妈妈就是他最好的榜样，即便长大，也不会将自己赤诚的初心丢失。

成为自己讨厌的人可不是成长的标志，知道自己想要成为什么样的人，并努力往这个方向努力才是真正的成长的标志。否则的话，你除了换上了一张叫作“成熟”的面皮以外，发现自己还是像个不停旋转的陀螺一样繁忙和迷茫，剩下什么都没有得到。

我不是说活成自己想要的样子就一定要休学辞职去旅行，青旅老板只是把生活过成自己想要的样子的人之一。那些人身上的标志鲜明，无论他们在做什么，他们都会抽出一点时间过自己想要的生活，让自己变得更酷。

我见过有人卖了房子，买了房车去世界各地旅行，我见过有人在繁忙工作的同时还会抽出时间在乐队玩摇滚，我见过有人加班到深夜仍会绕半个城市去吃某家大排档……他们如此不同，却又那么相似，生活会把人塑造成各种样子，可是最开始喜欢的东西，你还在坚持喜欢吗?

哪怕成为自己喜欢的样子很难，目标有点远，不过一点点来，就会向那个自己想要成为的样子慢慢靠拢。

这样努力生活、努力向上的自己，好像就是喜欢的样子的一部分。生活没有变成一潭死水，依旧充满了很多种可能性，那些存在的不确定，都是回忆起来可以让人笑出声的时光。

生活的魅力不是时光本身，而是正在生活的你。当你觉得从某个时刻起，你成了一个刻板而无趣的人时，生活就真的变得无聊乏味了，因为你已经主动接受了那不喜欢的人生。

其实大家都很忙，有时候生活也很苦，有的人被生活的苦水浸泡透了，忘记了自己原来想要的生活是什么样子的，顺着生活随波逐流，成了脸谱化的芸芸众生。可是也有一些人，他们会往苦味的生活中加点糖，一尝，咦，还真是别有风味。

这时候我就不得不说一句老套的台词了:不忘初心，方得始终。别让艰辛的世情包裹住你的心，让你变得粗糙而迟钝，偶尔要将那内里包裹着的柔软的心放出来透透气，让它去寻找向往的方向。

照镜子的时候，认真地看一看，这是你想要成为的样子吗?这是你想过的生活吗？想一想自己真正想要的是什么，不管你现在是什么年纪，千万不要辜负这短暂而又灿烂的一生。

有目标感的人，才更有幸福感

时常有人跟我抱怨，说生活很累，人生太难，每天疲于奔命，感觉自己像是流水线上的工人一样每天都在重复着机械的日子。大概普通人的一生，就是这么浑浑噩噩地开始与结束的，幸福感对他们来说就是一种奢侈品。

我却一直说："不是产生幸福感太难，而是你们把幸福的基调定得太高，比如说，要一夜暴富才能幸福，要获得童话故事般的爱情才算是幸福。"

小鱼毕业后成了培训班老师，寒暑假的时候忙得脚不沾地，淡季的时候没有多少学生，多数时候都在备课。有忙有闲，薪水可观，也算是让不少人羡慕的工作了。可是她对自己的现状却不怎么满意，别说是幸福感了，不被自己的焦虑压垮就已经谢天谢地了。

问她为什么会选择这一行，小鱼就说："我在大学的时候玩得好好的，谁知道一转眼就毕业了，我根本就没有做好准备，也没有做这个准备的意识。”

小鱼是金属加工专业的，属于专业调剂，如果不想去偏远工业区工作，基本上就只能做跟自己专业不符的工作了。当然，这个问题也不大，起码过半的大学生在毕业之后都在从事与自己本专业无关的工作，如果这就意味着要过悲惨的生活的话，那大家四处都能看到潦倒的场面了，而事实上，大家看到的大多是歌舞升平的生活。

那问题出在哪里呢？问题就在于小鱼既不想待在偏僻的工业区，可又发现自己好像没有什么一技之长，也没有特别想做的事情。校招的企业岗位表一个个看过去，竟然不知道该投什么公司好，公司那么多，好像压根没有她的容身之处似的。

等到校招的尾声了，她这才着急了起来，也不看那些公司到底在招什么，把简历一股脑地投了出去。可是小鱼的简历优势不明显，面试的时候对岗位的了解也很少，对自己的未来也很不明确，校招结束时依然没能获得一份工作。

等真正毕业，小鱼不好意思再留在家里，看到有培训机构在招聘辅导老师，就去了。她初高中的时候成绩比较好，辅导内容捡起来不难，家里也挺支持她做这份工作，按理说她这也算是在阴差阳错中得偿所愿。

可是小鱼对这份职业没有多少归属感，整天都是被工作推着走，这只是她谋生的手段，问她在职业上有什么更深层次的追求，她除了升职加薪之外什么都回答不上来。怎么升职加薪？她能回答的就是，“看老板心情了。”

看着挺兢兢业业的一个人，实际上却是最没有效率的人，她丢失了自己的生活目标，过着如同复刻别人的一生，可惜的是，别人的幸福感不代表她的幸福感，她再怎么重复，仍旧无法把握自己的人生。

我这样建议她：“你试试给自己定一个小目标，努力去实现试试看，也许你就能找回久违的幸福感了。”

小鱼不假思索地跟我说：“没有用的，我每年都有给自己定下目标，可是实现起来好难，我也没能从中获得幸福感。”

我哭笑不得，我对她的那些目标有些了解，可是从什么时候开始，小目标都从“一个亿”开始算了？好像立得不够宏伟就不能显出自己的雄心壮志来，这样的“小目标”最大的效果就是一时的打鸡血，却无法成为永远的鸡汤，连自己都没有能实现的信心，自然也就没什么动力了。这不像是目标，更像是镜中花、水中月，能有多大的效果？

“你先按照我的要求来，不管别的，就根据你现在的工作，设定一个目标，要给哪些学生提分多少，备课内容需要在多长时间内完成，过课的时候有哪些可以优化的内容……我们也不玩五年计划三年努力，就看看一个月之内会不会有什么变化。”

听起来像是洗脑似的，小鱼将信将疑，还是决定试一试。

一个月后，再次看到小鱼，她的气色有了很大的变化，她说：“我突然觉得这份工作也挺不错的，给自己设定个小目标，然后努力去完成，有些可能难度更大一点，我到现在都没有达到，但是这个过程已经给了我很大的成就感和幸福感。”

有了目标，小鱼就没那么迷茫了，不会整天思考人生，而是真正投入到她的工作中去。有学生喜滋滋地跟她说：“老师，太谢谢你了，这次我月考进步了十几名，如果不是你，我都不知道原来自己还挺聪明的。”

小鱼清晰地意识到，以前她“付出是不会有回报”的念头太过武断，她没有好好付出，也没有认真地看那些回报，当然很难体会到幸福感。

从设定目标开始，其实就是换一种心态。少想一些虚无缥缈的“幸福感”，因为它不是靠想象就能得到的，而是在努力达成目标的过程中滋生出来的。成就感会产生幸福感，但不代表没有达成目标就无法幸福了，在努力的过程中，认识到了自己的价值，知道生活的意义，自然也就产生了相应的幸福感。

幸福感和你有多少钱，正在做什么工作，是不是单身没有多大的关系，它跟你的人生方向有关系。像无头苍蝇一样四处乱撞，看起来很辛苦，可是辛苦却没有什么回报，于是便产生了挫败感，觉得自己过着糟糕透顶的生活，好像天底下芸芸众生，我过得最惨，没有人能理解与同情我似的。

有这种自怨自艾的情绪，说明你真的是太“闲”了，该给自己找点事情做做了。

主动做一件事和被动做一件事的区别真的很大。哪怕这件事对一个人来说是有好处的，当他是被迫接受的时候，只会显得他被生活强迫着做这做那，没有半点自由，如同被生活绑架一样。无论哪个时期的人都会有逆反心理，这种状态下如果还能感受到幸福，那才奇怪了。

相对的，我经常能听到那些目标坚定、眼里可以看见方向的人诉说着生活的美好，不是粉饰太平，而是他们的确过得很幸福。

我所说的目标感，不是立下一个个注定会被打脸的flag，而是指你想要达到某个目标，并身体力行地行动起来。

同事阿鲁是一个幸福感特别高的人，虽然他不是所有同事中最优秀的、履历最辉煌的，但是一定是所有同事中执行力最强，每天过得最开心的人。

阿鲁稍微有一点强迫症，他有很多个不同的便签本，便签本上记录着每天要做的事情，不同的事情分类，每做完一件事就会在便签本上打个钩，还会有月度、年度总结。

他从来没想过要跟别人比，跟人比较是比不出幸福感来的，他喜欢跟自己较劲，每做完一件事情就觉得自己比之前进步了一点，这还不值得庆祝吗？

于是很多同事都喜欢跟他相处，在职场这个让人疲倦的地方，阿鲁就像是一个传递正能量的小太阳，有谁会不喜欢跟这样的人交朋友呢？人都是有趋光性的。

阿鲁当然也不是不知疲惫的机器人，只是他把工作、休息都安排得井井有条，他已经在用最好的心态去面对。就像闯关游戏一样，日复一日的工作也是有很多小彩蛋的，他也可以想出很多新的想法来，他的积极创新还得到了老板的嘉奖，拿到了不菲的奖金，获得不少同事的羡慕。

很多同事还在做老板布置的任务时，阿鲁就已经在为自己的任务工作了。工资不是对他最好的奖励，幸福感才是。

拿着死工资的群体或许是最容易产生疲惫感和混吃等死的心

态的人，可是无论何时你都需要记得，你应付的不是聊以为生的工作，而是在经营自己的生活，其实很多时候，工资不是死的，老板也不都是那么刻薄，请记得为自己的人生奋斗。

希望所有的人，都可以少一点茫然，知道自己在做什么，想做什么，将要做什么，并愿意为之付诸行动。不让目标成为镜花水月，而是你踮起脚尖就可以摘下的苹果。你知道那是你能够靠努力得到的东西，于是你会去尝试、去努力。

无论你伟大还是渺小，无论你过着怎样的生活，都能从努力中获得幸福的体验，因为这就是目标的意义。

第五章

只要有坚硬的坐标，就能改变生活的模样

我想要的，不是舒服地活着

每年春节过后，都会有一大批人决定留在老家，不再买去北上广的车票，不再去人群中努力地挣扎。这是人之常情，因为在外面漂泊，别人看到了大城市的琼楼玉宇，却跟真正的打拼者没什么关系。付出了汗与泪，银行卡里面的余额依旧是闻者伤心见者落泪。

刚毕业那会儿，每个人都可以说“为梦想、为自由”，可是再过几年，就突然说不出这样的话来了。

因为当你回到家乡，参加同学聚会，别人房车俱全，然后问你：“当年的大才子在北京过得怎么样？肯定不比我们过得差吧？”你只能敷衍地说：“还行吧，勉强糊口。”别人以为你那是客套，只有你自己心知肚明，客套的背后其实就是真相，月薪过万，却还在温饱线上挣扎，连“水果自由”都无法达到。

总而言之，逃离北上广的理由太多了，雾霾太严重，在那里多待一天可能就要少活几天；交通太拥堵，上下班就像挤在沙丁鱼罐头里似的；每天的生活都在加班中忙碌度过，什么提升自己，就连谈个恋爱都是伪命题，看着曾经的老友妻儿和睦，嘴上说着不想结婚，却也会突然有一种寂寥的感觉。

如同叶落归根，候鸟返乡，他们也想休息一下。

可是也有很多人，知道前途未卜，也依然踏向了去大城市的路，成为那个城市的一只工蜂，当你看见他的时候，是认不出他来的，因为他太普通，也太弱小，只能成为无关紧要的背景板，只有当工蜂们聚集起来的时候，人们才会察觉到他们的存在。

琳姐去年升到了主管的位置，但是说起来的时候，她依然自嘲说是大城市里的一只没有姓名的工蜂。

她今年32岁，目前单身，并且准备继续单身下去。但无论她在公司有多体面，回到家中都需要面对来自母亲的横眉冷对；她能搞定难缠的客户，可是在老妈面前，就是技能再多也用不出来。

对上一辈的人来说，女孩子赚多少钱不是最重要的，重要的是稳定，找一个合适的对象，打拼什么的靠男人就好了。

可是琳姐无法苟同这样的想法，她在外面靠自己的能力PK（打败）掉了众多男性竞争者，回来却要在“这些事情男人来做，那些事情女人来做”的条条框框下勉强生存，她只觉得自己快要呼吸困难了。

她不认为自己哪方面输给了男人，他们做得到的事情，她一样做得到，他们做不到的事情，她还能做得更好。可是很多人，包括亲戚朋友，都无法认同她的价值观。

“更可怕的是，他们会打压你的存在，好像女人过了三十，就成了路边的野草，谁都看不上。你所有的努力在他们看来都是一文不值的，觉得只会给男方造成压力。只有赶紧找个男人嫁了，相夫教子才是正确的路，可是凭什么呢？”

琳姐有疑问，同样也有反抗的勇气。她的妈妈给她安排了相亲，托了关系让她进事业单位，一扭头，琳姐已经回去了，她干脆地说：“妈，公司那边离不开我，我就先回去了。你安排的那些东西就算了吧，要去你去，反正我是不会去的。”

一番话下来，把她的妈妈气得够呛，恨不得直接杀到她的公司去。但这也证明了琳姐决心之坚定，再亲近的人拿她也没辙。老妈挂电话前对她放下狠话，“你就继续拖着吧！等好男人都被别人挑走了，总有一天你会后悔的！”

后悔吗？

别的问题琳姐可能回答不上来，但是这一个问题她不需要犹豫就能给出答案：“不后悔，因为这就是我想要的生活。”

别人会说，这是何苦呢？琳姐的那些相亲对象方方面面不错的不在少数，足以让她下辈子不用奋斗了，她肤白貌美大长腿，怎么不好好利用自己的这些优势呢？原本有一条捷径摆在面前，她却偏偏要选择更难走的路。琳姐耸耸肩，觉得这些问题根本不算是问题，理念不同，就造成无法相互理解。

“我想要的，从来都不是舒舒服服地过完自己的一生，因为大部分时候，舒服等于庸碌，你在舒服的境地里，很容易成为温水里的青蛙，依靠的男人可能会背叛你，再高的颜值也会随着岁月逝去，等到那时候，你发现你举目无亲，什么能力都没有。靠自己活着会很辛苦，必须要在男人堆里杀出一条血路，可是安全感其他人无法给你。”

琳姐的话总是直指出那些被粉饰过的太平的本质，她也的确见过太多生活在舒服里丧失战斗力的人。比如她曾经的好友，为了嫁人回了老家，她以前最喜欢日剧，回去之后没人分享，为了显得合群，当琳姐再见到她的时候，她嘴里只剩下家长里短了。

琳姐的好友有了孩子，却遭遇丈夫出轨，身边的人都劝她睁一只眼闭一只眼，日子就过去了。除了琳姐，“这种渣男不分手留着过年？”

好友苦笑一声，说道：“我知道你说得都对，可是我自己没有经济来源，离了婚孩子该怎么办？”还是那张熟悉的脸，只是在岁月的风霜下有了皱纹，眉头紧锁，看不见往日的欢欣。

琳姐突然觉得十分陌生，换成以前，疾恶如仇的好友肯定早早把对方踹了，可是现在她做不到，也不想做。现在她们还会在一起吃饭聊天，也许不需要再过多少年，她们就只能相顾无言了。差距太大了，没有共同的话题，再好的朋友，也会失散在时光里。

有的女孩子觉得为男人洗手做羹汤才是生活，却也有些女孩子，比如琳姐觉得把自己活得漂漂亮亮才是生活。她不认为自己已经到了恨嫁的年纪，正好相反，三十来岁，正是事业的上升期。

“其实很多人最初都有梦，他们来到这个城市，想要在这里拥有属于自己的一席之地。可是渐渐地，有些人就放弃了，觉得能过好普通的一生就已经谢天谢地，于是陷入了舒服而平庸的生活里。我想再坚持一下，过不舒服却知道自己想要什么的生活。”

这就是琳姐的初心，曾几何时，她的好友也是有梦的人，她们一样心怀憧憬，最终却走上了截然不同的路。

琳姐绝不是唯一一个选择坚持的人。春节过后，依然有无数的人坐上了通往一线城市的列车，他们知道自己要遭遇大城市的磋磨，但是他们脸上的表情却如此相似，用义无反顾来形容最是妥帖不过了。因为前方，有值得他们去牺牲和奋斗的理由，有能让他们放弃小城镇温床的原因。

“逃离北上广”的口号喊了这么多年，依旧有人傻乎乎地往这些城市里跑，恨不得拼一个头破血流。你为他们扼腕，他们脸上却带着笑容，因为头破血流，那也是有热血可流的人才有的特权。

你知道吗？过得舒服是会上瘾的。

就在我毕业那年，凭借大学期间优秀的履历早早找到了工作，之后心里便没有了压力，每天吃吃睡睡刷刷剧，过得好不惬意呢。直到有一天我看到了我的一个同学，专业成绩不如我，特长不如我，却比我活得努力一百倍。

他没有保研，但是考研出来的成绩却很好，他参加国考，笔试第一名，他也去了很多招聘会，得到的offer比我还多。他说：“临近毕业就忍不住焦虑，希望自己能够做得更好，想要多去找几条路。”

我在旁边听了默默脸红，相较之下，我就成了一个没有丝毫追求的人。因为小日子过得太滋润，曾经力争上游的我竟失去了危机感，也丢掉了竞争力。工作是找到了，没错，可是我也列了很多想趁着那段时间学习的东西，结果清单不知何时丢掉了，明明还有那么多的事情没有做，怎么能毫无负担地休息呢？

看看别人，再看看自己，真的没有什么好得意的。我骤然惊醒，混吃等死很舒服，却不是我想要的生活。渐渐地，我改掉了颓废的生活节奏，当然，由奢入俭难，这个过程很不容易。

走自己想走的路，哪怕不是最近的路，过自己想要的生活，哪怕不是最轻松惬意的生活。当你发现你的生活过于舒适，就该警醒一下了，舒服的生活是一种慢性自杀，在你最惬意的时候给你致命一击，到最后，你都不知道自己为什么会输得这么彻底。

也许过得舒服，本来也是一种生活方式，如果这就是你想要的生活，那无可厚非，可是我想，大多时候的你，还有一腔热血未凉，不愿庸庸碌碌过完平淡无奇的一生。不一定非得是波澜壮阔，但也应随你意愿，磨该磨的刀，在该奋斗的年纪不放弃，在该追忆的年纪不后悔。

最靠谱的投资，莫过于投资自己

朋友阿江最喜欢社交“投资”，他广交各界好友，不管你有多么落魄，不论你的梦想听起来有多么不靠谱，只要和他聊投机了，他都会非常慷慨地说：“我觉得你这个计划挺靠谱的，一定要坚持下去啊！如果有什么需要帮助的地方，一定要来找我，能帮的我一定帮。”

他的慷慨不止浮于表面，如果真的有人来找他帮忙，他必定慷慨解囊，既出钱又出力。这么一来，向他寻求帮助的“朋友”也多了起来，少则几百，多则上万。遇到人品好的，还能够如数还回来，如果运气不好，可能就直接打了水漂。

阿江的家境算是不错的，自己收入也挺可观的，可是他的日子一直过得紧巴巴的，有时候遇到一些突发情况，反而要找我们借钱。我们这些关系比较铁的人看不过去，就劝他：“别把钱浪费在这些事情上面，有些人纯粹就是骗钱的，你可长点心吧！”

阿江不以为意地说："被骗了一点的确是我吃亏，不过你们不知道，这就是我的投资方式，现在还不起没关系，等哪天他们真的发达了，我岂不是成了选中千里马的伯乐？你们一个个都说，要是有机会回到过去，就去投资马云、马化腾什么的，我只是比你们的执行力更强，投资给我看好的人，万一对方就是下一个马云呢？"

原来他心里自有一套"成熟"的投资体系。他也不指望借出去的钱会翻多少倍回来，但是如果能够跟成功人士结下一段善缘，就当是交朋友了，多一个朋友多一条路，说不定以后会有需要他们帮忙的时候。

这就是阿江的"理财"方法，听起来跟电影《西虹市首富》里的王多鱼乱投资、广撒网一样不靠谱。可是阿江跟电影主角不一样，主角自带金手指，在规定的时间内必须花掉多少钱，阿江小有家产，无法让他这么挥霍。当然了，他沉浸在自己高明的理财方法中，听不进劝，大家也就只能听之任之了。

不过不知道是运气使然，还是他的这种投资方式的确有一些可行性，他以前帮助过的人中还真有混出头了的，有一个当了公司总经理，有一个创业获得了C轮融资，看起来还不是个例。他们感念阿江的帮助，还时不时地会约他出来一起吃个饭。

后来阿江遇到了一些麻烦，想请他们帮忙介绍几个天使投资人，却一个个面露难色地拒绝了。他们的大概意思就是："如果是一点小钱，那么能帮的我们肯定帮，可是你的产品他们不感兴趣，我不能因为我们的私交就影响到正常的生意往来。江哥，大伙儿都知道你仗义，可是现在是靠产品说话的时代了，而不是靠关系。"

阿江也不喜欢为难人，就没有继续提要求。最后他改了好多个方案，才在没有任何人脉的帮助下过了关。

这次事情之后，他突然有些醒悟过来，虽然每次约他们吃饭他们都会尽量过来，可是很少会给他介绍朋友，原因很简单：因为他们处在不同的层次上，就算是介绍了，恐怕也聊不到一起去，索性从一开始就避免这种尴尬好了。

不只是阿江和他们的朋友聊不到一起去，就是和现在的他们，都能够感觉到一定的差距。以前大家的水平都差不多，阿江还都能懂，后来不知从什么时候开始这样的境况就变了。

可是现在人家已经走到前面去了，阿江还站在原地，顾及往日的情分，他们还会时不时地约他出来喝茶、吃饭，可他们之间能聊的东西已经越来越少了。到现在，干脆只聊过去，不聊未来。因为说出来，阿江也听不懂，在外行人面前吹牛其实是一件很无趣的事情。

此时他们的关系还可以，但随着时间的推移，他们之间的关系将会越来越远。

曾经阿江很迷信他自己的投资，可是经过几次这样的事情之后，他便开始怀疑了起来，积累人脉的目的好像是达到了，大家也认为他是个仗义的人，但这又有什么用吗？没有，到需要拼实力的时候，人脉没有什么用，唯一起到的作用，大概就是让阿江知道自己跟别人的差距有多大。

“经营再多的人脉，也不如经营自己有用，既然懂得要提前投资别人，那为什么不干脆投资自己呢？”我这样提醒他。

投资别人，肯定伴随着一定的无效投资，连本金都收不回来的那种，投资了之后，看似攒了人脉，但如果自身格调不高，最后还是无效投资，人脉自然也就成了伪命题。唯有投资自己，你才能清楚地知道自己在做什么，而提升了自己，自然而然也有了相应的圈子和人脉，这才是最有效的投资。

明白了这个道理,阿江便慢慢地改掉了喜欢做“投资”的毛病。

看好一个人，想要跟他交好，这没什么问题，可别忘了只有我们自己的实力提升了，才有成为对方朋友的永久资格。站在原地不动，只会被对方甩得越来越远，这样一来人脉便会成为那空中的楼阁。

这时候又不得不提起另外一个爱做“投资”的朋友Maggie了，在我们扼腕没能及时加入阿里巴巴、腾讯的大工程时，她干脆地说：“过去的自然是无法投资了，不过我觉得确定的东西还是可以投资一下的。”

朋友们纷纷追问，是不是有什么内部消息，哪个项目是不是特别好之类的，结果她神秘兮兮地说：“一定不会亏本的投资，当然是投资自己啊，不管你把钱花到了什么地方，总不会吃亏的。”

大家纷纷觉得扫兴，Maggie却坚持着她自己说的话。她舍得给自己花钱，花对的钱，花有用的钱，“连对自己投资都做不到的人，一定活得很可悲。懂得给自己增值，才是最重要的投资。”

大学毕业找工作的时候，一套好的西装价格不菲，一般人可能就随便租一套西装算是很体面了，Maggie却直接买了一套。买的西装和租的西装品质相差很大，也更合身，衬托得她更自信和精神，那一年，她拿offer（录取通知）拿到手软。

当然，她拿到那么多的offer不仅仅是因为那一套西装，Maggie自身的实力也很强。但是正如她给学弟学妹们传授经验时说的那样，吝啬那么一点小钱，反而更容易吃亏，先不看别的东西，光看气场，你就已经比别人有了更多的优势。只需要一点钱就能买到的优势，何乐而不为呢？

进公司以后，Maggie的岗位经常会用到PS（图像处理软件），可是她和同期的新人都不怎么擅长，另外一个新人眼疾手快地抱住了技术的大腿，请客吃饭带奶茶，让他帮忙做一下PS。而Maggie更干脆，自己报了一个PS培训班。

同期的新人说："没必要那么麻烦，找别人帮你做一下就好了，自己去学既浪费时间又浪费钱。"

Maggie微微一笑，也不反驳，可是她从来都不觉得多学一种技能是浪费。关系再铁，找别人总有不方便的时候，如果自己会了，哪还需要四处求人？所以比起维护好和美工的关系，她更喜欢用这些时间和精力投资自己。

后来Maggie在这家公司升到了总监，同期的新人大部分都离开了这家公司。最重要的不是离不离开的问题，就算Maggie要走了，这个技能也已经跟她"绑定"了，她只会越走越好。

如此之类的事情很多，别人不相信这种"投资"，她却逐渐成长为一个光芒万丈的姑娘。

懂得投资自己的人活得很潇洒，有一个活得不怎么如意的姑娘向她请教，男朋友因为她不够好想要分手，怎样才能让对方回心转意呢？

Maggie直接将对方拉到了镜子面前，"比起考验感情，先懂得对自己好,你只有自己活得很高贵,别人才不会将你当成廉价品。你多长时间没有好好敷面膜、化个妆了？即便有了男朋友也不能忘了自己。”

Maggie很为那些将自己的全部时间都奉献给爱情、家庭的女孩不值，她们为琐事操心，失去了自己的容貌和事业，有一天爱情或是婚姻无法继续维系，她们便惊觉连天都要塌下来了，惶惶然四处求助，却发现没有人可以帮忙。因为能帮她们的，只有她们自己。女人啊，学会给自己花钱，是一项非常重要的技能。

如果有姣好的容貌，又何必畏惧别人说黄脸婆？如果专业技能掌握得很好，又何必担心无法回到职场？保持自己的价值，自然不必像抓着救命稻草一样抓着谁，也自然不必每天患得患失，自然也就能变得优雅大方。

Maggie的这些道理不仅仅限于姑娘们，可以说是放之四海皆准的。有句话叫作“众生皆有价值，你别活得太便宜”，懂得投资自己，懂得给自己升值，才是最大方的花钱姿势。

当你在投资别人的时候，聪明的人却在投资自己，让自己成为更好的人，无须靠别人便能看到更好的风景，因为那时候他本人已经站在了更高的台阶上。

没有对现状的深思，
所谓的勤奋就是无源之水

关于勤奋，我觉得我听到过的最好的一句话就是“你以为你已经拼尽全力，其实都是白费力气”。我不是一个很喜欢否定的人，但是对很多人所谓的努力，我会毫不犹豫地划一个叉。

当有人来问我，“我已经很努力地生活了，为什么我的生活还是这么糟糕？为什么我的生活还是一成不变？”我没有半点惊讶，只会问，你现在处在什么状态，正在朝什么方向努力。回答完这两个问题，就像照镜子一样，我便会对他的处境有一个大致的了解。

我想除了一小部分的人之外，现在的大部分人都活得很努力了，可是他们同样也会有这样的疑问：我已经很努力了，可怎么回报却配不上我的努力呢？因为这部分人就像是在跑步机上跑步一样，看似做了很多努力，实际上却是在原地踏步。

不是歧视任何职业，单纯举个例子，大家应该都知道，以前农民干农活特别辛苦，日出而作日落而息，每个人都练成了一把好力气。可是他们的付出和回报对等吗？

除开后来产业化和科技发展的因素，几乎是不对等的，种出来的粮食用来养家糊口，偶尔还能换点钱，但是想要奔小康的可能性就很小了。是他们不够努力吗？好像也不是，为了糊口他们几乎是在拿命拼。

现在的年轻人种地的很少，可是他们在产业链转型之后，何尝又不是一种另类的种田呢？只知道卖弄力气，却不知如何才能让产量更高，不敢尝试新的种子，更不敢跳出属于自己的那一亩三分地。原地打转的付出方式，会让你看起来好像很努力，但却没有任何效率可言。

是的，效率是一个比努力更有用的衡量方式。问题在于，怎样才能让努力更有效率？最重要的，就是要知道自己在做什么，想做什么，应该往什么方向努力。连最基本的问题都没有考虑好，努力就像是建空中楼阁一样，没有根基，顷刻便会崩坏。

临近毕业的时候，大力开始思索未来何去何从。不论是考研、考公、进一家不错的单位，都有利有弊。权衡许久之后，他也没能做出选择，干脆想着，要不都先准备起来。

所以他买了很多相关的资料，将各个单位的真题拿出来反复刷，每天踩着图书馆开馆的时间进馆，等着闭馆音乐响起再出来，遇到难题还会去宿舍楼的自习室通宵，废寝忘食就是他的真实写照。

室友忍不住劝他，要不专精一门得了，现在多辛苦啊。因为复习备考,大力的精神状态有点差,整个宿舍都不得不小心翼翼地，生怕打扰或刺激到他。

大力说，他还没想好到底该做什么，每个机会看起来都不错，他哪个都不想错过。

最后结果出来，大力差点崩溃，因为考研没考上，考公也没进复试，拿到的几个公司offer，都是他自己不怎么喜欢的。

更让他觉得糟糕的是，那些不如他认真和勤奋的同学，要么考研成功了，要么拿了他想要的大公司的录取通知，没有对比就没有伤害，他觉得老天不公，明明他比别人更努力，付出的也不比别人少，除了命运，还有什么能够解释他的处境?

“这跟命运没有什么关系，老天或许不公，但是这次的锅他还真的不背。”我直截了当地告诉他。

准备那么多东西，给自己施加那么多的压力，却连自己真正想做什么都没想明白，稀里糊涂地想要遍地开花。结果自然就是如此残酷了，他最想看到的花朵，都不认可他付出的汗水。

大力看似付出了很多努力，可是十分的精力分配到几件事情上面，精力自然就被稀释了许多，跟别人看似随便但其实特别专一的努力比起来，还远远不足。把自己折腾得身心俱疲，除了身边的人夸奖一句“你真勤奋啊”，还有什么用，但是对别人来说，他们在乎的是结果，而不是一个人看起来有多努力。

大力有些不服气地说：“可实际中确实有那种可以遍地开花的人啊。”

的确有那样的人，可是我所认识的这类人，无一例外，都知道自己最想要的是什么，知道目前的侧重点。比如确定了自己想要考公务员，那就把秋招全部丢到一边，将考公的事情全力以赴完了，再回头来看春招，没有压力地迎战，春招取得的成绩自然也不错。

没弄清楚自己最想要的是什么，或者干脆想着什么有结果就选什么，其实就是一种另类的迷茫。你可以想要在很多方面取得好成绩，但是一定要梳理出来一个主次关系，到关键时刻，舍弃可以舍弃的，坚持你该奋斗的，而不是像一只无头苍蝇一样，东飞飞，西看看，累得不行了，停下来一看，还停留在原点。

大力很年轻，所以只要他愿意，还是有改变机会的，“如果你还想再试一年，先想好自己真正想做的是什么，丢下别的包袱，将你的努力最大化。就像你说的那样，你也不傻，怎么会比不过别人呢？”

大力这次真的认真地思考了自己的未来，终于将目标定在了考公上面，他决定找一份稍微轻松一些的工作，然后便将大部分精力都放在了笔试和面试的准备上。很多人的学生时代大概都遇到过这么两类人，一类是那种特别努力，但成绩却始终在中游徘徊，还有一类人是轻轻松松，该休息的时候休息，该玩的时候玩，却取得了别人梦寐以求的成绩。

有人说，这是智商上的差距。

可是我并不赞同，后面这一类人更“聪明”，不是体现在智商上的，他们只是更懂得如何努力而已。他们不需要成为别人眼里那种付出很多的人，因为成绩就是他们最好的证明。

我专门请教过一些成绩优异的学生，他们的答案大同小异，“一味地拼命是最笨的努力方式，我们平时都会想着怎样提高效率，别以为这是没用的事情，磨刀不误砍柴工。”

“喝咖啡提神？熬夜通宵？不不不，那样对自己的压力也太大了一点，连身体都没有养好，学习起来会更吃力，所以平时我都是该做什么的时候就做什么，困了就睡一会儿，睡醒了精神更好，饿了就吃点东西，没必要一直强迫自己，学起来反而更轻松。”

他们不是不勤奋，只是不把勤奋浮于外表，真正的勤奋，不必给别人看到汗水挥洒的过程，但是别人能够看到优秀的结果。

小优就是这么一个看起来不务正业的优秀学生，以前有同学来问他成绩优异的方法，他都会如实回答，“在该做什么的时候做什么，别让自己成为疲于奔命的那种人，这样你就会发现自己的效率提高了很多，成绩自然也就提高了。”

有个同学觉得小优藏私了，提高成绩的秘诀肯定不会这么简单，他想借一下小优的笔记之类的，那个更有用。

小优无奈了，如果他真的有什么秘诀的话，早奉献出来了。可是别人还以为是他太小气，怕别人追上自己所以不愿意说。他们以为他怕大家太努力，会赶上他，但小优会害怕那种无效的努力吗？

显然是不怕的，连什么是真正的勤奋都分不清楚的人，小优觉得那不会是自己的对手，能够对他的排名形成威胁的，当然还是那些知道该怎么努力、该往什么方向努力的同学。

在物理上有一个叫作有用功的概念，跟浪费掉的无用功正好形成对比，一定的力作用形成有成果的功，想要做有用功，方向很重要，跟我们说的“勤奋”有异曲同工之妙。物理学讲究方向，抽象性的努力同样需要方向感。

想要努力很简单，哪怕是原地踏步的人，也可以看起来像是付出了很多努力的样子，然后他们心安理得地发出疑问：我已经很努力了，为什么对我的处境还是一点帮助都没有？

好多人被这样一个陈旧的观念束缚着：甭管要做什么，反正一股脑地往前冲肯定没错，加油，坚持，最后的胜利肯定属于你。可现实是，这种勤奋往往是无效的付出，就连跑步比赛都要搞清楚你的跑道是哪一条，更遑论其他更重要的事情。

勤奋不是演戏，不需要给别人留下“你真的好努力”的印象，没有目的地乱跑，只会让自己成为无头苍蝇，看起来既慌张又盲目。

别害怕把时间花在冷静的思考上，这不是浪费，也不是无用功，而是提升效率的最佳方式。认清楚自己是谁，认清楚路在何方，有方向性的勤奋才是最厉害的勤奋，才能有事半功倍的效果。

梦想的价值不在结果，而在过程

朋友大头是一个登山运动员，在朋友圈里经常能够看到他在各种名山大川打卡，一直以来，他也在努力挑战新的攀登高度来证明自己。

不熟悉的人都会羡慕他的生活，能够看不同的风景，在重重历险中获得荣耀，简直比电影还要精彩，谁不向往这样的生活呢？我们这些真正知道他每天过着什么样的生活的人，实在是羡慕不起来。

你说你想成为一个作者，行，手边有一台电脑，打开Word（文字处理软件）就是写，写得好写不好另说；你说你想成为一个程序员，没问题，做好发际线不停上移的准备就好……可是登山运动员不一样，不是你想当就能当的。

在登山之前，他们要做好大量的事先准备工作，不管是物资还是身体状况，在没有新任务的休闲期间，必要的锻炼也是不能少的，他们没有什么休闲期。而上山了不代表成功就在眼前，以前我们兴起的时候也想“挑战”一下人生新高度，大头就跟我们说起了他在登山时遇到的危险，天气骤变，人被困在山上，前不着村后不着店；氧气不足，每个人的氧气瓶都是各自的救命稻草，谁都帮不了谁等等。

这些都不是大头编出来的故事，有些是他亲身经历过的，有些则是他的同伴遭遇过的。在登山的时候，他也遇到过冰棺，那是之前的登山员留下的，他们来了之后，就没能回去，山上天气极寒，尸体不腐，如果运气好，有后来者路过，可能会将尸体带下山，可是如果位置不好不便移动，他们就只能永远地留在这座山上了。

看电影的时候你知道这是主角，经历种种挫折坎坷之后，终究能够化险为夷，虽然刺激，却也有心理预期。可在现实中，没有谁会是主角，只可能存在一些幸运儿，大头自己也心知肚明，今天是他看到了那些前辈，可没准哪天，他也会成了其他登山者们路过的丰碑。

没有这样心理准备的人，是无法成为一个合格的登山者的。正是因为抱着可能回不来的心态，才要越要努力和坚持，不想辜负生命的最后一分钟。

有一年大头登山，不慎跌倒，从山坡上滚落了下来，被同伴救下之后立马送去了医院，还算及时，左腿康复之后能够正常跑跳，但是医生建议他以后不要再登山了，极限运动对他的左腿负担还是有点重。而且登山对身体素质的要求更高，身体情况不达标，贸贸然去挑战不是找死吗？

大头情绪低落了很长时间，他对登山是真的喜欢，但是现实太过残忍，剥夺了他最喜欢的东西，曾经阳光开朗的他每天都盯着天花板发呆，郁郁寡欢。

直到大半年之后，大头突然打电话给我，说他决定要去登山了。我吓得手机都差点掉了，连忙劝阻："你应该知道自己身体的情况吧？别冲动，有什么事情我们慢慢说。"

大头平静地说："我不是冲动，我很清楚自己在做什么，我这么积极地配合康复治疗，就是为了有一天能够重新站在山峰之巅。你也有梦想，应该能够理解我的这种行为吧？我知道我已经挑战不了最高峰了，但我还是想挑战一下自己的最高峰，我不想停下来。"

听完他的话之后，我突然说不出什么劝阻的话来了，因为我能够理解他这么做的心情。登山就像他的精神支柱一样，只要他还活着，他还能动，心底那个叫作渴望的声音就不会停下来。

肯定有人会说，他注定攀不上珠穆朗玛之类的山峰了，注定无法成为最优秀的登山者，他的坚持还有什么意义？

可是梦想的意义从来都不是说你一定要拿到第几名，一定要成为行业的佼佼者才行，如果梦想如此浅薄，那想必无数的逐梦者都不配拥有姓名。梦想的意义在于它是一个人前行的内驱力，他无法成为所有人中最优秀的一个，却在这个追梦过程中达到了自我完善的目的，他变得更优秀，同时也感受到了快乐。

大头为了再次登山做好了万全的准备，这次的山峰对以前的他来说是新手难度，可对于现在的大头来说，是需要重新冲击的目标。他的母亲本打算全力劝阻，可是看到重新焕发了活力的大头，竟也说不出什么劝阻的话来。

大头得偿所愿，平安回来，他说，后面他还想继续挑战别的山峰，当然，他也做好了失败的准备了，但这并不会影响他继续新的挑战。

“在登山的时候，我觉得我的每一个细胞都活了过来，人为什么需要梦想？大概就是因为在追求梦想的过程中就连呼吸都是自由的，我能够感觉到自己存在的意义，我不知道自己什么时候不能继续登山，但是至少此时此刻，我就在路上。当然对于登山运动员来说，肯定是要有目标的，登顶成功也会有成就感，可是你知道吗？最大的成就感不是登顶的那一刻，而是攀登的整个过程中。”

对登山缺乏了解的我一开始可能有点难理解，不过换成其他比较熟悉的领域，我就明白了。在追梦的路上，辉煌的确是登顶的那一瞬间，可是追梦的幸福感与充实感，却一路伴随，哪怕你身边空无一人，也不会感到寂寞，哪怕你生活艰辛，也不会觉得痛苦。

梦想这东西，说起来有些虚无缥缈，可能某些人终其一生，都无法实现，难道这就代表这个人的一生就白费了吗？

不是的，热血从来不会被错付。谁都会辜负你，除了梦想。因为当你向着它前行的时候，它照在你身上的光亮和温暖都是真实的，既然那么努力又幸福的活过，又何来遗憾之说呢？

有人问我，他很喜欢写作，工作之余就喜欢写点东西，可是他没有什么写作的天赋，是不是应该放弃呢？

“你在写作的时候会觉得轻松愉快吗？写作会给你带来正面的情绪吗？”

“肯定会啊，不然怎么能能叫梦想呢？”

“那我就建议你试试一个定律。”

我跟他说起了一万小时定律，这是我之前的编辑告诉我的，现在我也只是将这个定律继续传递给别人，“天分不天分的很难说，这个看不见摸不着，可是坚持却很容易看到效果，有人告诉我，当我坚持做一件事一万个小时之后，我就肯定能做成这件事。有时候比起怀疑自己能不能行，更应该问问自己要不要去做，能不能坚持。”

在还想写的时候，坚持写下去，虽然我不能保证他一夜成名，也不能保证他在那么长时间之后就一定能够功成名就，获得诺贝尔奖走上人生巅峰——我对自己都没有那样的信心。

但是我相信，为自己的梦想坚持，终将有所收获，这个收获或许是身心的平静，也可能是财富的自由，他终将在追逐梦想的路上发现梦想的价值，找到他自己的人生意义。到了那个时候哪怕没有人让他坚持，他也会自发地继续走下去。

那人突然笑了起来，说道：“我明白了，如果想要结果，反而可能不会有结果，但是当我们走在路上，我们就在接近梦想。”

越是执着于结果，越容易失去初心，与梦想背道而驰。而在最简单，同时也是最枯燥的坚持的过程中，最是容易找到最开始想要的东西。

有一段时间很喜欢俄罗斯的一部电影，叫《花滑女王》，女主角从小就以花样滑冰为梦想，但却被人评判为没什么天赋，她付出比旁人更多的努力，终于达到了荣耀的顶峰，却在一次意外中摔伤，遭遇未婚夫的背叛，可即便如此她对花滑的热爱依然不变。

梦想藏在冰里，像是在对她说："你能行。"于是她重新从轮椅上站了起来，克服对摔伤的恐惧，她被取消参赛资格，但是观众席上的人们却都在为她的表现喝彩。纵使是电影，也没有为她安排一个完美的结局，可是谁敢说这就不是圆满呢？

梦想看似遥不可及，可是你我都不应选择放弃。也许在梦想的眼里，没有谁是特别的，每个人都要像其他人一样，慢慢地迈步向前，也许最后你会沮丧地发现，原来你没有被眷顾，原来你还是平庸，可是起飞的那个瞬间，你很美，别人也会欣赏你的美。

眼里只看到结果，你会感到痛苦和迷茫，会产生自我怀疑，不要害怕，回忆你最开始出发的目的，你想要的不仅仅是实现梦想，而是窥见自我的价值，而这个价值，就在路上，无论艰难险阻，它都能让你看到头顶澄澈的星空，这就是圆满。梦想带来的不是完美，而是圆满与无憾。

你必须精力充沛，才能扛住世事艰辛

不知从什么时候开始，“丧”文化越来越受当下年轻人的追捧。你走到外面，能够看到一水儿地行色匆匆，你挤上公交地铁，看到的都是一张张冷漠疲惫的脸，有时候想要套个近乎，会发现对方警惕地看了你一眼，然后迅速地躲开。

也不知道有多少人跟我吐槽过这个冷漠的世界，人和人之间看起来很近，高铁、手机等科技让千里之外的人可以在瞬息之间近在咫尺，可那是物理上的距离，事实上人们心中的距离却丝毫没有缩短，反而有越来越远的趋势。

现如今，熟人之间能聊的东西越来越少，反倒同陌生人一起聊天倒是能敞开心扉。可是天一亮，你又重新画好精致而冷淡的妆容，投入新一天的工作中，因为你很清楚，陌生人无法给你答案，没有人能够给你答案。

每个人都在经历世事的艰辛，以为有很多朋友可以一起分担，可事实上，每个人都有自己的难言之隐，谁又能帮谁扛呢？最终，也只有自己苦苦煎熬而已。

阿兰在学生时代就喜欢结交朋友，因此身边有很多好朋友，他们谈天说地，聊开心的事情，也会聊令人沮丧的消息，没有什么是不可以拿出来分享的。有这些朋友陪着，感觉没有什么难关是不能渡过的，别人有很多烦恼，她看起来倒是天天都过得很开心。

可是毕业之后，阿兰发现事情完全变了。她每天忙着上下班，应付着上司和甲方，每天挤公交回到出租屋，面对着凌乱的屋子，她自己都忘记已经有多长时间没收拾过了，因为有太多的琐事盘旋在她头上，让她很难照顾到这些细节。

阿兰打开手机，想要跟曾经的好友们抱怨一下这糟糕的状态，却发现不知从什么时候开始，好友们的聊天窗口已经很靠后了，一时半会儿还找不到，需要靠搜索功能才能找到，排在聊天框前面的，不是同事就是客户。

以前和朋友几个小时不聊天就很奇怪了，现在几天不聊都是常态，几个月不聊都算是正常。每个人都好像默认了成年人的社交守则——不打扰就是最大的善意。

阿兰默默地浏览了一会儿对话框，还是没有把吐槽的信息给朋友发过去。哪怕谁都没有说，她也能感觉到那种无形的隔阂，他们已经不是什么都能聊的关系了。

她觉得自己以前过得很快乐，但是现在生活的却像是一个无底洞，把她的快乐都吸走了，“成年人是不是没有快乐？感觉生活好累，都快把我压垮了。”

阿兰浑身上下都充斥着疲惫感，没有人能够帮她分担这种压力，不仅是朋友，就是面对父母，她也只能挤出笑容表示自己一切都好。她发现自己在残酷的世情面前，好像毫无还手能力。

我告诉她，成年人的世界里远远不止这些艰辛，但越是这种时候，越要保持自己心态上的积极。即便你过得更丧，命运也不会因此而放过你，给你半点优待，而积极向上的人，生活可能不会因此而变得更好，但是可以看见光的人，才能在冰冷的世界里感受到温暖。

很多时候没有人可以帮你，我也无法欺骗你，说先苦后甜，生活会善待你，那是童话故事里才有的桥段，等你经历了过一些风风雨雨，就不会再相信这套说辞。可是抱着不同心态生活的人，最后的结果是不同的。

只有精力充沛的人，才能在黑白分明的生活中看见彩色的光芒。

以前我特别羡慕的就是朋友老李，他每天都笑嘻嘻的，跟他在一起会不由得感觉到很轻松，好像没有半点负能量。看起来他没有什么负担，有一份不错的工作，虽然单身，但是一个人也把自己的生活安排得井井有条，该吃吃该喝喝，有假期的时候就出去玩，小日子过得有声有色。

有时候我也会跟他诉苦，聊起人生艰难的事情。负能量堆积多了，好像不找个人宣泄会把自己憋坏似的。每到这个时候，老李就会特别包容地说："生活就是这样，要保持乐观向上的心态，你会发现一切都会好起来的。"

我还是蛮吃这一套的，被安慰一下，心情就会好起来，可是有一段时间工作生活处处都不顺心，觉得自己过得糟糕透了。当老李再次以这套说辞安慰我之后，我的情绪一点儿都没有好转，反而更加糟心了，朝他发脾气，"你什么都不知道，没有压力，也没有遇到那些糟糕的事情，站着说话不腰疼。"

那一次，老李给我说了一些他的故事，之前他从来都没有说过，我本以为他没有多少烦心事呢，没想到他只是藏得比较深而已。

很多人都以为他的出身比较好，才能有这样开朗的性格。而事实上，他的老家在农村，母亲早逝，父亲是个农民，供他上大学就已经费尽了心力，还没等他正式毕业，父亲一次进山之后摔断了腿，成为需要他照顾的人。

老李休学一年，打了好几份工，攒了一些积蓄，可以请人照顾父亲了，才重回大学继续读书。他大学毕业那年，父亲离世，他都不知道该说这是一种解脱还是一种悲伤了。

他来不及沉浸在打击中太长时间，便投入了工作之中，在父亲去世之前为了让父亲得到最好的治疗，为了能够继续自己的学业，他贷了一些钱，毕业之后要抓紧时间把钱还上。就在前段时间，他刚刚把所有的贷款还完，总算是一身轻松了。

就是还完贷款，老李的生活也没有变得轻松起来，他遇到过公司的裁员风潮，也遇到过相亲的女孩子嫌弃他的出身，生病孤零零自己去医院，想找个朋友过来，又害怕打扰对方。

生活从来都没有对老李仁慈过，他只是想尽办法让自己过得很好，苦中作乐。他知道不少人对他的生活状态有一些误解，可是他从来没有解释过。

我感到抱歉的同时，忍不住说："对不起，我不知道这些事情，为什么以前你什么都不说呢？说出来至少能有人帮你分担一下，说出来也能减少大家对你的误解。"

说到那些令人感到难过的事情，老李的嘴角依旧挂着笑容，淡淡地说："没有必要啊，我没有想过用这些事情去博取别人的同情，能够让大家认为我过得很好，就证明我真的把生活过得很精彩了？”

生活很苦，可是他想要将生活过得更甜。姑娘嫌弃老李的条件不够好，那他就干脆保持单身，两个人在一起能拥有的幸福，他一个人也能做到。有朋友因为各种各样的原因跟他渐行渐远，他也不生气，因为他觉得朋友就是能够陪着他走过一段路的人，不能走到最后太正常不过了。

老李没什么存款，因为他觉得自己没什么负担，平时工作本来就很累，该享受的时候就该对自己好一点，所以他从来都不会亏待自己，美食、休闲、旅行……就这样给人留下了“他生活得很好”的印象。

“活得那么累的意义在哪里？玩游戏都有一个回血的机制，平时的生活更少不了回精力的这么一个过程，恢复精力的速度够快，才能在这一条不归路上尝到一丝甜味。”老李这样说。

有人曾说过，所谓乐观的人，其实就是一些比较天真的人，因为他们没有看到生活的残酷，才能够保持心态上的单纯。可知道老李的境遇之后，我想，乐观的人不是没有被生活摧残过，而是遇到了糟糕的事情之后依旧能够保持心态的阳光与健康，没有失去希望。

那些笑得最开心的人，不一定就是被上天眷顾的命运之子，但他们一定是最懂得生活的本质，心态最积极、精力最充沛的人。你以为他们没有遭遇挫折，可事实上，他们的挫折来得比谁都早，只是他们选择了在强压下顽强生存。

这的确是一个冷漠的世界，行走于世间，谁身上可以避免沾上风霜雨雪？

无论是家财万贯，还是一贫如洗，以不同方式开始的人生，都有着不同的人生境遇，但却都有着生活施加的种种烦恼，使人心碎，使人疲惫，使人的热血渐冷，使人失去最开始的希望。可是生活不是在告诉你“放弃吧，大傻子”，而是在告诉你，你要学会用自己的光芒与热去融化生活的冷漠。

在这个过程中，难以避免地会灰心丧气，觉得自己已经被生活碾碎了。越是这种时候，越需要维持心态的乐观，不要忘记及时恢复自己的精力，才能重拾与这个世界对抗的勇气，才能找到属于自己的幸福和温暖。

命运很公平，该给你的磨难和坎坷一点都不会少，谁又能比谁幸运呢？只是每个人的姿态不同罢了，由此每个人看到的风景也就不一样了。无论你身处何地，都别忘记成为最阳光最快乐的人，因为只有这样的你，才拥有与糟糕的世界对抗的力量。

第六章

我就想这样
放肆地活一次

你做不好的事，大部分都是你不渴求的事

阿立在一家电商公司做文案，每天工作都充满了负能量，“今天被老板骂了，说我的文案写得不够好，根本不能为店铺吸引流量，也不想想，要是我有天天写爆款的能耐，还会待在这里拿这么微薄的薪水吗？”

“这份工作我是一点儿都不喜欢，一天到晚对着屏幕，腰酸背痛，职业病都要有了。”

“每天都觉得自己下一秒就想把辞职信怼到老板面前。”

然后我冷不丁地对他说：“要不你就辞职吧！”

阿立愕然，没想到我会直接让他辞职，因为一般人在抱怨之后，听到的都是“嗯嗯，的确太过分了。”“哎呀，你留在那里太屈才了，老板就知道瞎指挥，有本事让他自己上啊！”如此这般，抱怨者就如同泄了愤，也鼓起了继续生活的勇气。

简而言之就是，很多抱怨的话其实都是自己嘴上说说而已，

不是真的要这么做，如果有人当真了那就太傻了。阿立也是一样，只是想通过吐槽来表达自己对目前工作的不满，朋友们肯定是跟他站在同一战线的，这么一来，他也就有了继续工作的力量。

以往我都会很配合，可是这次却没有好好配合他演出，难怪他会这么奇怪。我继续对他说："因为做了自己不喜欢的职业，所以就三天两头的通过传递负能量来表达自己的不满，这样一来，你就为自己的平庸找到了借口。可事实上你都没有去努力过，做不好一件事不是很正常吗？"

不管做什么事情，随便做做就能成功，听起来很厉害，却只是少部分人拥有的特权。大部分人，包括阿立在内，都是普通人，需要全力以赴，才能把一件事情做好。没有付出相应的努力，却要得到相应的认可，那真的太难了。

我记得曾经的阿立不是这样的，他有自己的理想，大学的时候特别有干劲，专业课年年第一，每学期都拿最好的奖学金，他信誓旦旦地说："我一定要成为一个优秀的人！做这些事情的时候，我能够感觉到自己人生的价值，这太棒了！"

当时，我能够从他身上感觉到明显的向上的动力，朝气蓬勃，就是有外来的压力落在他身上，他依旧能够轻松应对。阿立不是特别高也不是特别帅，不过一群人站在一起，别人总是能够一眼认出他来，因为他身上的精气神跟别人很不一样。

可工作之后，他身上原有的那种朝气不知哪里去了？一个平庸的普通人便自此凸显了出来，不知道努力，只学会了抱怨。哪怕是让以前的阿立本人来看，可能都认不出这是他自己。

伪装在阿立身上那层遮羞布被我直接揭开，他脸上有些难堪，最后慢慢地垂下头，说："我也不想这样的。"连他自己都不明白，怎么一天天地就变成今天这个样子了。

我知道他是怎么一步步变成这样的，因为他现在做的这份工作，本身就不是他自己喜欢的，没有了奋斗的激情，在职场上得过且过，自然也就无法在工作中得到认同感。

"所以我建议你辞职，而不是逐渐因为被同化，最终彻底不知道自己该干什么。"

阿立问："可是我该去找什么样的工作呢？我家里人都说，等我工作了，不管什么工作其实都差不多，受苦受累是避免不了的，核心就是一个字，熬，熬出头了就好说了，很多年轻人太娇气，撑不住，在各种公司跳来跳去，反而成了职场上最不受欢迎的那一类人。"

他听说了太多的前车之鉴，并深以为然。从他的实际情况来看，的确就是一个熬字！

如果只看表面，阿立所学到的经验还是很有几分道理的，任何职业，无论看起来有多光鲜，背地里都是别人看不见的汗与泪，而经常跳槽的求职者，的确很容易受到用人单位的质疑。可是不管这些多么有道理，都不是一个人浑浑噩噩地工作和生活的理由。

工作可能是辛苦的，可是你自己愿不愿意承受这份辛苦就预示了结局的不同，一个甘之如饴，主动向上，另一个上班摸鱼，混吃等死，相差太大了。只要老板的脑子还在，他就知道该给哪个员工涨年终奖。

就像大学期间，也不是没有同学说学业太重，某教授布置的课题太难，学校管得太严，没有自由，这些条条框框同样也约束在阿立身上，但是那时他却没有这么多吐槽，反而是听别人吐槽的人。

为什么？因为有人觉得那是煎熬，阿立却无法认同这样的说法，反而觉得这是让他进步的机会。

千万别让“履历好看”成为你苦苦守在岗位的理由，这一条规则只是为了让你不跳槽成瘾，却从来没有限制你去寻找自己喜欢做的事情。一个人能做的事情有很多，可是他拼尽全力也想做的事情，一辈子可能也就那么一两件吧，千万别把两者混淆了。

“我不知道你想做什么，我只知道你不喜欢现在的工作，你真正喜欢的是什么，就需要你自己去寻找了。比如你大学的时候一直想做自媒体，现在也可以去做啊，不要老等着别人告诉你应该这么做，而是你自己努力往这个方向发展。”

阿立的眼里露出了缅怀的神色。他以为，成年人应该是懂得取舍，在普通的岗位上也能够按部就班，却不知道能够顺着自己的心意去奋斗才是成年人的标志。

堂姐是个宠物医生，不要以为宠物医生就是那种撸撸猫、遛遛狗的轻松工作，也不是养宠物那样每天晒一点萌照的生活，作为他们医院技术最好的医生，她的手术时间几乎是排满的，忙起来吃饭的时间都没有，一天下来腰酸背痛，而且有些猫猫狗狗的防备心很强，她的胳膊上时常能够看到狰狞的抓痕。

叔叔阿姨纷纷劝她换一份工作，当宠物医生有什么好的？又脏又累，薪资比一般工作稍微高一些，那也是些辛苦钱，她的付出和回报一点儿都不对等。

我也挺好奇的，虽然丁克家族越来越多，但是宠物医院开得太多了，利润降下来，终究没有人医有前景，她怎么会想着从事这么一个职业呢？

堂姐苦笑了一声，说道：“如果不是真的喜欢，谁又会像我这样为爱发电呢？不过我还是蛮庆幸自己当了宠物医生的，想象自己安安稳稳地坐在办公室里，每天敲敲键盘、整理材料，我就觉得这样的生活没意思透了，我一点儿都不想成为其中的一员。”

因为热爱，所以她觉得自己的收获远比自己的付出多很多。或许在一些人的眼中，猫猫狗狗不值钱，跟人完全不能相提并论，这有什么好小题大做的？但对堂姐来说，救下一只小动物带来的成就感，与医生救下一条人的生命是一样的。

因为热爱，所以才会有职业认同感，在外人的面前也才会自豪地介绍自己从事的是什么职业，职业是没有高低贵贱之分的，最重要的，还是要看你能够为之付出的心力。

宠物医生这一行更新换代的速度也特别快，堂姐虽然已经是他们医院的支柱了，却还要不停地参加培训和进修，否则一不小心就可能会被淘汰。可是人总是习惯于安稳的，换成别人，有堂姐那么丰富的经验在，大概可以安稳地吃几十年了，完全不需要像她现在这么拼命。

虽然换工作是不可能换了，但我还是劝她了一句：“没必要把自己弄得这么辛苦，该休息还是要休息一下的。”

堂姐反过来问我：“你既要工作，还时不时要地写稿子，挺辛苦的吧？怎么没见你休息呢？”

我支支吾吾地说：“也没有很辛苦，都是我自己想做的事情。”

“对啊，这也是我想做的事情，如果及时的充电能让我做得更好的话，何乐而不为呢？比起辛苦，我更认为这是一种乐趣。辛苦是表象，过程中的乐才是本质。当你真的特别想做一件事的时候，你一定无法忍受自己的普通，你只会想着把这件事做好，然后做得更好。”

我深以为然。我想，过着平凡生活的你我，都应该找到属于自己的能够让你心甘情愿地“苦中作乐”的事情，不论是什么职业，不论薪水高低，只因为一个人在发光发热的瞬间，看起来最美。

后来我知道阿立辞职了，去了一家不错的自媒体公司。我看到他每天熬夜加班，可是他脸上的笑容却是发自真心的。

当你厌倦一份工作时，你总是能够找到很多厌恶它的理由，可是当你热爱一份职业时，你总是能够从很多角度找到自己的不足，然后努力做到更好。

别将“不擅长”归为“没天分”，或许是你根本不想为这件事付出那百分之九十九的汗水。找到你愿意为之付出努力的事情，并持之以恒地热爱下去，我觉得这就是一个人变得优秀的原因。

热爱生活，才是人生真正的放大器

小美在某报社社会版做记者已经五年了，活得越来越丧，对自己的工作也失去了最初的热情，问她原因，她说："因为在这个版块，你总能够看到很多糟糕的事情，刷新你的认知，让你对这个世界失望。在这个领域工作时间久了，连自己的情绪都会被影响了。"

当初她以为自己是一把利剑，可以斩断世间的许多不平事，想着自己经历过许多生活的不幸之后，可以指引人们走向幸福。后来小美才知道是自己想太多了，社会版块记者也只是一份职业，纯粹是为了养家糊口而已，哪有她想象的那么伟大？

在这条路上摸爬滚打久了，见过的糟心事多了，满腔的热血便逐渐凉了下来。小美连自己都帮不了，更别说给别人提供什么帮助了，就像她同事说的那样，"靠赤诚做这份工作是坚持不住的，因为总有一天这份赤诚会被消磨完，你就当自己是个局外人，该干什么就干什么得了，只有自己的心情好了，才能持久下去。”

道理小美都懂，只是做不到那样洒脱而已，她无法保证自己的心态不被那些事情影响，有一次她还破罐子破摔地说：“我干脆申请调到娱乐版块去好了，当一个明星狗仔，既轻松又省事，还能避免惹上一些麻烦。”

可是这就跟她最初的期许不相符了，做新闻同样有鄙视链，社会版听着就要比明星版块高大上很多，不过真正成了一名记者之后，小美才知道各有各的辛酸，她自己也只是维持着表面的风光罢了，说不定收入还不如娱乐版的人呢！

念念叨叨了很长时间，也没看到小美转到娱乐版去，有段时间没见之后，约她吃饭，发现她脸上散布的那种阴郁都散去了，脸上笑意融融，如同阳光乍现，给人的感觉非常好。

其实这笑容并不陌生，在她工作之前，小美脸上经常洋溢着的就是这样的笑容，只是烦心事多了，这笑容就随着她的热情一起消失掉了。再次看到这样的笑容，竟觉得十分久违，也觉得欣慰。

我就忍不住问了小美：“是有什么好事发生了吗？有男朋友了？还是买彩票中了大奖？”

小美笑了笑，对我说：“你怎么是这么肤浅的人？没有这些事情，我就不能高兴了吗？我是因为我的工作而感到高兴。”

我恍然大悟，问她：“哦，你已经调了部门了吗？”大概只有远离原来工作的荼毒，才能让小美恢复原本的活力吧？

没想到我也有猜错的一天，她憋着笑回答我说：“没有，我还在原来的部门，而且不准备调岗了，因为我觉得现在的工作就挺好，挺适合我的。”

我已经多久没有从小美的嘴里听到她对这份工作的夸赞了，怎么短短一段时间没见，她就跟换了一个人似的？原谅我的脑洞比较大，一下子就联想到了一些比较奇幻的事情上，上上下下地打量着她，担心她被调包了。

当然各位看官可以放心，小美身上没有发生任何怪力乱神的事情，不过她看懂了我的眼神，扑哧一下笑了出来，“改变太大你都认不出我来了吗？别胡思乱想了，我就是采访到了一个给了我很多感悟的人，让我重新捡起了对生活的热爱，突然觉得生活中还有很多美好的东西。”

前阵子，小美采访了郭女士，一个罹患胃癌晚期的女人，五十多岁，却被病魔折磨得不成人形，能治疗的方法都用过了，她剩下的时间最多只有半年。她的身体情况很糟糕，但心理状态却很好，虽然身体疼痛难忍，郭女士的脸上却始终露着优雅的笑容，衣服穿得一丝不苟，看到她，就能想象到岁月静好的样子。

小美很难想象这个世界上怎么会有这样的人存在，换成是她，可能早就被折磨得喘不过气来了，不是每天以泪洗面就算是她忍耐力很好了。痛苦和无望，是人对生活产生怨怼的首要因素。她见过许多许多心灰意冷的人，郭女士反倒是成了其中的一股清流。

她当然得问问郭女士是怎么做到的，强颜欢笑？不太像，因为经历这样痛苦的人，是没有太多精力去强颜欢笑的。曾经有句话说得很有道理：爱笑的女孩运气不会太差，因为运气太差的女孩根本笑不出来。不只是她，但凡正常人都不会在郭女士的处境下笑出来。

郭女士微笑着说："因为该享受的事情，我都享受过了，你们看到了生活给我带来的不幸，我看到的是生活给我带来的幸运。确诊之后，我就列下了很多我想做却因为各种原因没有去做的事情，我去过冰岛，玩过蹦极，看过极光，冲过浪，吃了很多美食，觉得没有辜负这一生。如果有一天醒不过来了，那就美美地死去，这样一想，还有什么好焦虑和遗憾的？"

现在的郭女士，每天听听音乐，散散步，天气好的时候看看灿烂的阳光，下雨的时候就听听雨声，竟然觉得这生活充满了美好。

郭女士也不是天生豁达的人，在知道自己罹患癌症之前，她不过是一个普通的妇人，为了一点鸡毛蒜皮的小事窝火，为生活的琐碎心烦意乱。确诊之后，她觉得天都塌了，可正是因为时日无多，她才决定换一种姿势拥抱生活，换一种心态去看待这个世界，她发现生活竟然有如此多的美好之处，令人无比眷恋。

“所以啊，烦恼的年轻人们，不要太着急，生活中的美好之处很多的，如果你只会憎恶，那么温暖就无法靠近你。有时候生活也比较调皮，把最美好的东西都藏在角落里，需要靠你自己去发现。”

给郭女士做了采访之后，小美有了很深的感悟。社会版的记者，不仅是为了发现丑恶，更应该是去发现一些温暖甜蜜的东西，眼睛里只有不幸的境遇，怎么可能幸福得起来？

小美骤然惊醒，不管是哪个行业，都能够看到黑暗与光明。如果她的心态不能及时转变过来，不管调到什么部门去，都会让她一天到晚地丧着，如果是这样的心态，再美好的生活她也总能够发现让她不满的东西。

小美删掉了存在电脑里的调岗申请书，尝试着去发现生活中美好的东西，社会版其实也没有她一开始想象的那么糟糕。她遇到过挡住镜头不让她拍摄的人，也遇到过对她万分感激的人，她见过丑恶，离真善美也特别近过。

不管她报道的是什么东西，温暖和善意都在那里，不增不减。小美重新找回了当初选择这份工作的初心，报道糟糕的事情不是目的，让人在黑暗中依旧看到温暖才是。她身处其中，一不小心就会被深渊卷进去，越是这个时候，越是不能忘记抬头看天上的灿烂阳光，只有这样才能找到最初对生活的那份热爱。

我也因小美的事情而感受颇深，我无缘得见那位郭女士，却能够感受到她身上的那种优雅和美好。时间在我们身上粗粝地滚过去，有的人留下的是美好的珍珠，有些人留下的却是一文不名的沙粒，最大的区别就是我们每个人对待生活的态度。

后来也有很多人跟我诉说生活的无望之处，希望我能够为他们指明一条道路，让他们重新找回初心与热情。我就说："那能不能先跟我说说你看到的美好的东西？"

他们的回答各有不同，有的说早起深呼吸的时候，看到的晨光最美，有的说每天回家看到小区外面有个姑娘喂流浪猫的时候觉得很美，有的说累了一天客户带了奶茶来慰问很幸福……说完之后，他们不由失笑：原来生活还有这么多的美好之处值得纪念。

不需要我为谁指明一条路，因为每个人的生活中，都各有光明，当你以热情拥抱，它自然以温暖还你。

生活不怕糟糕，就怕辜负。我相信生活在尘世中的人，时常都会产生倦怠之心，棱角被磨平，热血被浇灭，仿佛生活只剩下了日复一日的枯燥和丧气，逐渐成了没有期待和希望的人，每天都不过是重复着生存的姿势而已。

这种心态再正常不过了，可是我们懂得为器物除尘，但却忘了给自己的心灵时常去除一下尘埃，千万别让这些尘埃遮住了生活中的光与亮。我们会走过泥泞，但别忘了阳光;我们会迷失方向，但要记得璀璨星空会为我们指明方向。

我所谓的热爱生活，从来都不是强颜欢笑，而是你在黑暗中穿行，却看到了光，并会因此感动到热泪盈眶。

犯错误，
往往不是答应得太早就是拒绝得太晚

平时最怕遇到两种人——第一种叫作“好好先生”，不管面对什么请求，无论自己的能力是否允许，他都会告诉你“没问题的，交给我”；另外一种就是“不靠谱”的人，拜托的事情过了许久之后，才突然给你发消息“这个我没时间做了”或者“很抱歉，这个我做不来”。遇上这两种人，分分钟能把你搞到崩溃。

不管是答应还是拒绝别人，都要讲究时机，没考虑到当时的情况，答应得太早不好，犹犹豫豫下定决心拒绝，却拖了别人很长时间同样糟糕。

阿兔的脾气软绵，不擅长拒绝人，有时候哪怕是让她很为难的请求，她也会咬咬牙答应下来，到后面发现事情解决不了，又怕得罪人，就只能自己花时间和人情上去请别人帮忙。明明有时候是好心帮忙，却搞得自己身心俱疲，太不值得了，她受自己的

这个性格困扰已有很长一段时间了，有心想要改掉这个毛病。

有人就给她出主意，让阿兔不要害怕得罪人，学会直接拒绝别人。现在害怕得罪没必要，如果后面没有把答应下来的事情办好，才会成为真正的“背锅侠”。

阿兔觉得他说得很有道理，就尝试着这么做了。正好有个朋友想让阿兔做一个声音的后期处理，可是最近她有点忙，要做的话就得自己熬夜抽时间，阿兔不想这么累，正好就试验一下那些方法有没有用。

但是每次想要开口，阿兔都觉得不好意思，这样做到底好不好？会不会让人觉得她太小气了？辗转反侧了许久，总算是咬咬牙、狠狠心说了拒绝的话。

阿兔发现，不好意思拒绝，其实都是拒绝之前的纠结和痛苦，真的这么做了，反而一身轻松。可事情还没有结束，有的朋友在遭遇了她的拒绝之后，他们就没有联系了，她想要找对方出来玩，对方也是一脸冷淡的样子。过了一段时间，阿兔发现朋友圈里已经传开了她这个人不讲义气的消息，始作俑者正是被她拒绝了的那个朋友。

阿兔顿时就郁闷了，她自己也不想失去这个朋友，更不希望在自己的朋友圈子里留下这么一个名声，她忍不住后悔起来，是不是她做错了什么？是不是不应该拒绝对方？

我问她："你拒绝他的时候距离你一开始答应他过去了多长时间？"

"大概三四天吧，也可能是五六天，我记不清了。"

"如果换成是我，我也会对你不满。一开始答应下来了，我当然会觉得你可以搞定这个事情，不会再去找别人了，可是耽搁了这么长时间，你突然说不行，他该找谁说理去？也许人家不是怪你拒绝，而是怪你想拒绝却又拖延这么长时间，这跟耍别人玩有什么区别？"

有人在教你学会拒绝的同时还要学会辨别朋友，"如果因为你的拒绝就不跟你往来的朋友，显然不是什么真心朋友，能够趁机鉴别出来从此断了联系也挺好的。"

如果真是那种只想利用你的朋友，失去了也没什么好可惜的，可是有时候也不妨思考一下，这件事办砸了有没有自己的责任？比如以为这是一个很靠谱的朋友，很放心地将事情拜托给了他，没想到都快到deadline（最后期限）了，他却突然告诉你，这事儿你另找别人吧，他做不了。

遇上这样的事情你能不上火吗？不立刻跟人翻脸已经是很大的涵养了。

从别人身上找原因总是简单的，可是有时候，人同样应该懂得自省。如阿兔想要将所有的责任推在朋友身上，好像也没什么问题。可是为人处世都这么做的话，未来朋友越来越少，好像也在意料之中了。

拒绝是一门艺术，在什么时候拒绝很关键。如果一开始就不想做这件事，那么千万不要满口答应，给自己揽事情，拒绝要趁早拒绝，而不是犹犹豫豫，既想不得罪人，又想要拒绝，这么一来，很可能得罪了人还不自知。

阿兔知道了自己的问题在哪里，诚心去找朋友道歉，朋友倒也不是那种不讲理的人，直接说："这次就算了，下次如果有心要拒绝，就别答应得太早，也别拒绝得太晚。如果你从一开始就拒绝了我，我就算心里不舒服一会儿，很快也能理解了。但是都过了那么多天，我还以为你的东西都要做完了呢。"

阿兔越听心里就越惭愧，还好在有效的沟通后他们的友谊还能继续保持。后来她再听到别人的请求，都会先考虑自己能不能做再答应，要是不能，一开始就会直接拒绝，果然少了很多烦恼。

不管什么事情都能满口答应的人，不一定是讲义气，当然了，想拒绝却又拖拖拉拉，导致别人误会以为你能搞定，这种性格也有问题。

达哥是某企业的部门主管，他在招聘的时候，经常会问一些软件使用的问题，“XXX会吗？”有些应聘者会特别有信心地说“熟练”或是“精通”，可是等他问到更具体的问题后，往往就两眼一抹黑了。

所以他从来都不相信简历上写的那些“精通office（办公）软件”的漂亮话，真的相信了，可能就要栽一个大跟头了。会打字就说自己熟练应用Word，会制作表格就掌握了Excel（电子表格软件），知道程序语言大概长什么样，就自称会C语言（程序设计语言）……这些套路，他屡见不鲜。

但是别以为这样做真的可以加分，至少达哥不会看这些，那些敢说自己“没有完全弄懂”的人，反而有更多的勇气和向上的空间。

两年前他带过两个实习生，最后只能留下一个人。其中一个积极，另一个比较木讷，看起来就像是运气爆棚才进了公司，达哥自然也更倾向于留下第一个。实习期一过，来打酱油的人就会离开。

平时有什么事情，达哥更喜欢交代第一个实习生去做，因为他看起来更机灵，交给他办事，达哥也放心，反观另外一个，时不时冒出一些非常简单的问题，都快成十万个为什么了。

可是有一次，达哥给第一个实习生布置了任务之后，他迟迟没有完成，眼看着客户都要过来做测试了，达哥三催四请，他才说了实话，“达哥，这个部分我之前没有接触过，我很努力想做，可是真的做不来。”

达哥差点被气了个仰倒，既然不会，之前为什么不说？接任务的时候表现得那么运筹帷幄，后面也没有来问他，达哥想当然地以为，这件事可以放心交给他。

实习生低垂着头说：“因为我在你的印象中很厉害了，我不想破坏这个印象，让你以为我是一个无能的人。我以为只要花一点时间就可以搞定的。”

达哥这才明白过来，平时他吹嘘出来的履历，有不小的水分，他不是不想拒绝那些任务，而是不敢拒绝。就在这时候，另外一个实习生过来，说：“这个部分我已经学过了，我速度挺快的，应该来得及。”

当时达哥的心态那叫一个复杂，他没想到自己还有看走眼的时候。最后项目圆满完成，却给他留下了深刻的印象：那些第一时间就说“OK（可以）”的人不一定是真的没问题，但是那些看了具体情况，衡量了自身实力后才说可以的人，一般都很靠谱。

后来留在公司的人是第二个实习生，了解了更多之后，达哥才发现他虽然不爱花里胡哨的吹嘘，可是他接过去的任务，你完全可以放心。如果他做得了，就会保质保量地完成，如果他做不了，他就会直接拒绝。表面上看起来挺得罪人的，可是相处的时间久了，大家都知道他是一个怎样的人，反而会觉得对方很靠谱。

不懂得答应和拒绝的人，太在乎所谓的面子，放不下原本维持的人设，往往在给别人带来麻烦的同时，也给自己带来了麻烦。

答应得别太早，先衡量一下自己是不是能够做到，有多大的能力背多大的责任，不要成为好心泛滥的老好人，同样的，如果想要拒绝，也别太晚，在犹豫和纠结之中错过了最佳时机，如若这样行事，受人怨怼也是理所应当的。

真正的朋友不怕被拒绝，真正的能力也不是接受别人的所有要求。别害怕拒绝，要懂得拒绝。

聪明的人都在做减法，只有你还在负重前行

要搬家的时候，收拾出了一大堆不知道什么时候买的东西，有些是出于新奇，买了之后就当摆设，过一段时间就不知道放到哪里落灰了，有些觉得有用，可是真正能用到的时候又很少，没多久就能找到更好的代替品，旧的就留下积灰了，也有一些当初的确有很大的用途，可是用了太久已经损坏了，却又舍不得丢弃，便想着先放着，哪天拿出来怀念一下也是别有一番风味的。

现在各大电商网站在节假日的时候就会推出这样那样的优惠，“双十一”“双十二”的存在让人觉得不买就亏了，顺着攻略囤物资，千奇百怪的东西都买了一些，但是自己也没能成为居家小能手，成为败家小能手倒是可以确定的。

在收拾之前，我总觉得房间有点小，有很多东西都放不下，转个身都会碰到什么东西，可是收拾之后却发现，哪里是房间小，分明是东西太多的缘故。这些没用的却因为这样那样的原因没有

丢弃的东西占据了可利用空间之后，自然就没有了其他东西的容身之地。

很多东西不是不可以丢，而是在当时的情境下，觉得食之无味，弃之可惜，就先留着了。等自己狠下心来，全部一丢了之才发现，生活还可以这么清爽。室内空间变大了，感觉呼吸都轻松了不少。

我顿时明白了有些人为什么会推崇极简的生活方式，不停做减法之后，就会觉得只要一张床就能够解决所有问题了，轻松而简单，保持内心的澄明。我可能是做不到这个境界了，作为一个俗人，难免还是有各种各样的需求，只是深觉应该在人生中应该时常做做减法，给自己留出足够的空间。

没有什么收藏癖的我，都能折腾出这么多无用的东西，更别说某些本来就有收藏癖的人了。彭女士就是其中之一，她邀请我去她家做客的时候，我目瞪口呆，没想到一个房间里能堆这么多的东西，连落脚的地方都没有。

彭女士不好意思地笑笑，对我说："这就是我不爱请朋友们来我家玩的原因。好几次都想要收拾了，可是仔细看看，什么东西都不想丢。"

"不会吧？"我有点不太能理解，指着一个有点旧的哈巴狗玩偶说，"这个呢？你现在肯定也不玩了，而且挺旧了的。"

彭女士连忙说："我留着这个，是因为小时候去游乐园的时候买的，我当时特别喜欢，它陪伴了我很长时间的。"

好吧，是有感情的旧物，我也不忍心"横刀夺爱"，于是看了看她的衣柜，里面自然也是挤挤挨挨，有些衣服款式已经很旧了，而且不怎么好看，都没看到她穿过。我拿出一件面包服问："这衣服可以丢了吧？"

彭女士一把抢过，眼里露出了缅怀的神色，说道："这件是我前男友给我买的，我们在一起有很多甜蜜的回忆，除了这些东西，我们之间就没有别的羁绊了，我不想丢掉这份回忆。"

"……"

后面的情况跟之前十分相似。最后我满头大汗，却无法帮她丢弃任何东西。这个时候我忍不住想，不仅东西要做减法，人的感情也应该做减法。因为感情上的舍不得会变成物质上的舍不得，丢弃起来会变得格外困难。

这么一来，就不只是物质上的负担，那些多余的感情，更是精神上的累赘。或许我这么说显得有些无情，感情充沛不是好事吗？怎么就成了多余的东西？但事实就是如此，背负太多的感情和回忆也无法让彭女士变得更开心，她经常看着那些"回忆"暗自落泪，彻夜失眠，对感情更是小心翼翼，如履薄冰，生怕再次重蹈覆辙，也怕新的感情战胜不了回忆。

过多的感情堆积将彭女士困在了过去，那她怎么才能看到未来呢？有回忆是好事，但是人不应该沉溺在回忆里，那样的生活很难看到希望，只会让人觉得呼吸不畅。

我就说："在你背着过去生活的时候，别人早早就跑到前面去了，你的缅怀与挽留对他们来说一文不值，因为他们都过得很好，不想回头，只有你落在最后，所以只能看着别人的背影。这是对大好时光的辜负，你就不想活得更幸福一点吗？"

彭女士显然是向往幸福的，"可是……我做不到啊……"

"我来帮你。"我把她不需要的东西一样样地找了出来，在她心痛的眼神中，"这些东西你也不需要了，捐给需要的人吧，你留着不会开心，可是别人收到会很高兴，这不是双赢的事情吗？"

彭女士跺跺脚，狠狠心，把眼睛一闭，让我把东西都捐掉。几大箱东西搬出去之后，她的家顿时空旷了很多，她的表情看起来有点寂寞，"我以为这些东西会陪着我一辈子的，没想到现在都丢掉了。我以为我会很难过，可是除了有一点不适应外，我竟然觉得松了一口气似的。"

不舍得丢的情绪冒出来的时候，觉得丢什么都如同掏心挖肺，可是人的心肺哪有那么多？有些东西只是倾注错了感情，等真正丢掉了，没多久可能就彻底遗忘了。正如彭女士一样，过了一段时间之后，她就适应了。

阿萨是我见过最会收拾的男人，每周他都会进行一次大扫除，他的房间永远都是最简洁最干净的状态，很多女孩子都望尘莫及。他时常挂在嘴边的一句话就是，“一个人房间的状态就像是一个人的心理状态，房间乱，东西多，很可能就是想法多，思绪乱，这样的人怎么能幸福得起来？”

我细细品味之后，觉得很有道理，看他面色红润有光泽，每天的情绪都很积极，就应该知道这是他的不传之秘。

阿萨当然也不是从一开始就这么会收拾的，以前的他跟大多数男孩子一样，房间乱糟糟的，休息时间打游戏也好，看电影也罢，总之没办法腾出时间来收拾。大概只有有客人要上门了，他才赶紧做一下表面功夫。

可是有段时间，他就跟遭遇了水逆似的，诸事不顺，准备跳槽却还没有找到下家，女友提出分手，存款告罄，他都快走投无路了。在多种因素的重重打击之下，阿萨的情绪崩溃了，男人有泪不轻弹，可是他却像一个小孩子一样痛哭流涕，也想到了很多绝望的解决方式。

阿萨终究没有这样做，他知道自己的状态不太对，想要改变现在的状况，首先就要改变自己的心态，否则不顺利可能会继续持续下去，哪家公司喜欢招聘愁眉苦脸的员工？

他也不知道该如何调整，就想着做点什么事情转移自己的注意力。看着乱七八糟的房间，阿萨终于有了好好收拾一下的心情。没想到丢完垃圾，看着焕然一新的房间，他觉得自己的内心是前所未有的平静，好像那些负面的情绪都随着垃圾一起被清理掉了。

有些东西，真的是“当断不断，反受其乱”，你以为这是重感情的体现，可事实上这很可能是逃避的借口，以为不收拾，生活就能维持原样，以为不收拾，那些离开了的人就不会走。

醒醒吧，即便东西维持原样，也无法否认你情绪的混乱，把过去打打包，寄走，是时候走出来向前看了。

后来阿萨就爱上了这种收拾的感觉，清理物品，也是放空心情，以积极和努力的心态对待新的一天。

都说人的最高境界是“本来无一物，何处惹尘埃”，可是作为芸芸众生的我们，能达到这个境界的还是比较少的，人在世间行走，总会被外物所影响，留下或悲或喜的痕迹，后来，这些情绪越来越多，压得我们步履蹒跚。

所以普通人应该参照的是“时时勤拂拭，勿使惹尘埃”，太多无用的物质与情绪的堆积会形成泥淖，让你裹足不前，只有时常清理，才能使生活这颗蒙尘的明珠重新恢复曾经的美好与活力。

生活需要断舍离，现在懂得给人生做加法的人太多了，人们就知道往自己兜里塞。可是很多人都忘记了,与负重前行的人相比，轻装上阵的人才更具有天然的优势。

生活本来就已经够沉重的了，你也没有那么强大，伤春悲秋很文艺，但是春秋是自然规律，不需要你去背负，别给自己加大压力了。适时地丢弃不必要的东西和情绪，你便能拥有足够的平静和优雅。

不是你的圈子，就别忙着挤进去

读者小京向我抱怨生活太累。她现在读高二，起初我以为是学业压力太大，因为很多高中生都有这样的烦恼，但是她很快就澄清，不完全是因为学业的事情。如果光是学习的话，那得有多轻松啊，可是学校这种地方，也少不了有这样那样的圈子。

小京的性格比较内向，成绩只能算是中上水平，她不是天赋型选手，平时就靠死读书来维持自己的排名，在别人眼中妥妥就是“书呆子”一个。

如果性格足够开朗，那身边的朋友肯定少不了，或者有一技之长，比如成绩特别好，那也会有同学主动愿意和她玩，因为优秀本身就是一种凝聚力。最怕的就是小京这种不上不下的，既不擅长交友，也没人愿意带她玩，等她自己反应过来之后，发现自己已经被所有的圈子排斥在外了。

周边同学的周末都有满满当当的安排，除了小京，她永远都是一个人上学放学，一个人逛书店写作业。如果仅仅是这样，那小京可能会觉得有点孤独，但大部分时候还是能适应的。可是不知道从什么时候开始，就有了小京很孤僻、不好相处的传言，大家更是对她敬而远之。

小京很委屈，这说的跟她本人一点儿都不一样。有人告诉她，她应该去交朋友，融入别人的圈子里，大家都知道她是一个怎样的人了，那么谣言自然会不攻而破。

于是小京就开始为交朋友做打算，一有闲暇时间她就研究最近很火的综艺，在别的女孩子说起“你们给XXX投票了吗”的时候，假装不经意地凑过去，“原来你们也粉他吗？我也看了，觉得他笑得超甜的，已经把所有的票都投出去了。”

一来二去，小京就加入了这个小团队，她们说：“以前你都不说话，看不出来你的干货也挺多的。”周末的时候，她们会一起去买明星周边，一起去逛街，一起去做指甲，渐渐地跟小京有关的谣言就没有了。

可是小京依旧过得不开心，因为她自己本人没那么喜欢那些明星，也不喜欢做指甲，她更多的是想要去书店看看书，她敢肯定，如果她提出这个建议，马上就会被朋友们笑话的，“都周末了，放松一下吧，小京你也太乖了吧，人家好学生周末都是在玩的，青春就该是好好享受的。”

和这些朋友待在一起确实有开心的时候，也驱散了小京心中的不少孤独，可是现在她觉得，她有了新的孤独，有时候只能强颜欢笑，有时候觉得格格不入。她努力跟上其他人的步调，却浪费掉了自己的学习时间，自此，她的成绩以肉眼可见的速度下滑。

小京心里着急，却不知道该怎么办。她好不容易才跟大家打好了关系，难道又让她退回到原来的小世界里，成为一个别人不理解、不喜欢的人？小京也不愿意那样。

现在的结果就是，大家都发现她心里有事，可是她不知道该如何选择。小京像一个小大人一样叹了一口气，“谁说小孩子就可以无忧无虑的？明明有很多大人都无法理解的烦恼。”

我给她的建议是这样的，想交朋友？这是好事，可是交朋友的原则不是一味地融入别人的圈子里去，这不是成为朋友，而是成为“狗腿子”。

朋友之间应该是平等的，而不是时时刻刻小心翼翼，唯恐被抛下。双方在互相了解的前提下建立起来的关系，不会因为你喜欢什么或不喜欢什么就决裂，很显然，小京现在更像是在讨好友谊，而不是在拥有友谊。

“你把自己伪装成另外一个样子，加入别人的小圈子，可是这么一来，别人永远无法认识真正的你。如果有一天你喜欢上了自己伪装的样子，那还好说，但你明明不喜欢，继续伪装下去给你带来的只有茫然，你先想想看，是不是想成为自己伪装的那种人。”

小京下意识地摇摇头，可是她又说：“我也想活得很潇洒，可是没有朋友的境况也不会好到哪里去。”

我就说：“那是因为你只听了我一半的建议。我让你不要强行挤进别人的圈子里，不代表不让你跟别人交朋友，让别人了解真实的你，肯定会有人愿意跟这样的你成为朋友的。你需要做的，就是自成圈子。”

“以前的我就很真实啊，可是好像没有人愿意跟我这样的人成为朋友，他们觉得我孤僻、奇怪。”小京反驳道。

我没有解释，跟小京打了一个赌，让她回去之后少参加她那个“姐妹聚会”，自己想做什么就做什么，如果有人问起来，就实话实说，顺便问一下有没有人愿意跟她一起去的。这么做之后，她可能会被这个小圈子除名，但是很快就会有新的圈子愿意接纳她。

小京的态度有点消极，但还是应下了赌约，将信将疑地试了试。一个星期之后她回来找我，一脸兴奋地说：“真的被你说对了！”她输了赌约，但是心情却前所未有的愉悦。

在她脱离小团体行动之后，的确有人对她的“爱好”表示不屑一顾，后来就有人不愿意带她一起玩了，但是也有人忸怩地找上她，希望能够和她一起去图书馆。原来不仅是她一个人想学习，有不少人也希望勤能补拙，周末多挤出一些时间来看书。只是之前她们和小京一样，不好意思做煞风景的事情，不想脱离团队行动。

“只知道加入别人的圈子，当然只能看别人的眼色行事，只有形成自己的圈子，才能够支配自己的生活，做你真正想做的事情。交朋友从来都不是通过挤进别人的圈子进行的，强行进入那些圈子也不代表你就是一个开朗的人。做自己想做的事情、愿意做的事情，自然会有志同道合的人愿意加入你的圈子。”

小京之前会被误会，是因为她没有试着去交朋友，大家误以为她“高冷”，解决这个问题靠的不是挤入自己什么都不知道的圈子，而是应该让别人认识真正的她。

抱团是人的天性，不想成为边缘人同样是天性，不仅是学生们被“圈子”的问题困扰，在社会打拼多年的人也难以免俗。

乔乔进公司不久，就感觉到了办公室里的暗流涌动，同事们三五成群结伴，中心各有不同，自成圈子，她一个孤立无援的新人，感觉只有加入其中一个，才能在一群人之中显得不那么突兀。

于是乔乔迅速和隔壁工位的姑娘熟了起来，但是加入他们这个圈子却让她有点后悔，她们平时聊的都是古驰、路易威登，手上不是最新款就是限量版，而乔乔呢，就是买一个经典款都不敢背出门，生怕坐地铁的时候被挤坏了。

乔乔萌生退意，可是好不容易才被这个圈子接受，再加上她们能够教给她不少的东西，带她开阔眼界，结识更多的人脉，这个圈子对她来说就是一条捷径。就这么离开着实有些可惜了。

她一拖再拖，直到有一天她听到了这样的声音，“你们在说乔乔啊，我也觉得她太喜欢占便宜了，我们这个圈子什么情况她又是什么情况，她自己心里没有一点数吗？这样的女孩子很不讨人喜欢的。”

那一瞬间，乔乔的眼泪都快冒出来了，她清楚自己的行为不太好，却没想到在别人的眼里是这么不堪。她其实是一个特别在乎面子的人，在这之后，她就默默地退出了这个奢侈的圈子，再也没有加入什么圈子，成了办公室里面一个独来独往的人。

这一次，乔乔不想再靠所谓的圈子和人脉走捷径了，她想靠自己的努力，让别人无话可说。

她的特立独行成了茶水间的笑谈，“她啊，大概是被赶出那个圈子了，大家都等着看她的笑话呢，谁都不想和这么虚荣的人成为朋友。”

乔乔也听到了一些风言风语，但是没有跟任何人起争执，而是工作得更卖命了。努力其实是很容易被看见的，一年之后，乔乔不需要再依赖任何人的圈子，因为她已经有了自己的圈子，工作遇到任何问题，她都能够快速地解决掉，她的联络本已经成了一种资源了。

我认识她的时候，她已经是公司的公关总监了，她在员工大会的时候这样说，“很多初入公司的员工以为，让自己显得合群，快速加入大家的小圈子是最重要的，可是当你一无所有的时候，你永远只能生存在那些圈子的最底层，你要做的是努力变得更优秀，哪怕你不努力融入，别人也会将你纳入其中。”

你们受圈子的支配多久了？生怕显得自己是个“怪胎”，生怕自己被孤立，然后去关注那些无趣的，最终越走越迷失，却依旧没有从中得到自己想要的东西。因为违心加入的圈子始终不是你的圈子，不如做真实的自己，优秀的自己，等时间久了，你就会发现，原来你还可以自成圈子。

把你应该承担的责任担起来，你才会发光

很多女性朋友都跟我说起过她们的择偶条件，什么身高、体重、财产嘴上会说，但是真正衡量起来的标准又不是这些。最重要的是什么？她们会毫不犹豫地告诉我：“是责任感，是这个男人有没有担当。”

她们列出种种条件，不要“妈宝男”，不要没有主见……归根结底，就是不想遇到没有责任感的男人。有担当的人，不管自身的条件怎么样，最后都会脱颖而出，而那些软弱喜欢逃避的男人，则在婚恋市场里被避之不及。

她们也这样说：“女孩子的青春宝贵，难道要等他学会承担吗？这十有八九是在白费力气。你在等他学会承担，他却爱上了这种不需要负重的生活，一旦你给他施加一点什么压力，他就会说你变了，然后怒而分手。总而言之就是什么好处都被他占了！”

男孩大宝曾经跟我抱怨，说他的女朋友太物质了，让他觉得很累，这段感情有种无以为继的感觉。

我问他："怎么个物质法？"

大宝举了个例子，每年过生日，女朋友就三令五申不要送花，而是要送她一套护肤品。而且她要的护肤品并不便宜，大宝想要让她买便宜一点的，她就要闹了，说他不爱她。大宝觉得女人的思路让人非常难以理解：爱与不爱，是能用一套护肤品来衡量的吗？

类似的事情发生过很多次，每次都让大宝疲于应对。

我继续问："在你生日的时候，她有送过你什么东西吗？"

答案当然是有的，他的女朋友对节假日很重视，不会错过任何表达心意的机会，什么蔻驰皮带、钱包之类，价格也不在一套护肤品之下。但是大宝又说："我从来都没有让她给我买过东西，都是她自己爱买，我都让她不要这么乱花钱了。"

"和你在一起之前，你的女朋友用的也是这套护肤品吗？"

"差不多吧。"

问答结束之后，我恨不得让他们立刻、马上分手，可惜了这么一个好女孩，是怎么遇上大宝这样的男人的？很多东西情侣、夫妻之间是可以慢慢去协调、融合的，除非一个有力，另一个却根本无心。

“早点分手吧，你得到解脱，也算放她一个自由。”我不认识他的女朋友，却为她感到不值。

大宝不满了起来，他是觉得我能够给出有用的意见才会来找我的，没想到我和其他“物质”的女人一模一样，觉得他不能给女朋友更好的物质条件就盼着他们分手，就是因为有我们这样的女生在，才会导致女孩儿越来越不好追，越来越难搞定。

我顿时就笑了，非常高兴这个越来越不好追、越来越难搞定有我的一份功劳。

我从来都不是什么物质至上者，更没有鼓吹过相关的言论，而大宝的女朋友就更无辜了，牺牲了自己的大好时光和生活质量不说，还被贴上了“物质”的标签，这该找谁说理去啊！

大宝的女朋友哪怕没有他，过的也是一样精致的生活，她有能力提供给自己这样的生活，作为男友，一边理所应当地享受着女朋友对他的好，一边嫌弃她不会过日子，希望她降低自己的生活水准。

这是一个男友应该做出的事情吗？哪怕现在提供不了最好的，也不该是一味地抱怨，拉低对方的生活质量，而是应该努力想着如何改变现状，给她提供更好的。

与大宝类似的人理所应当地想着，爱情是不需要考虑物质的，考虑物质那就是庸俗，那就是拜金，殊不知好的爱情就是要看物质的。最初在一起，生日时送一束玫瑰就已经很浪漫了，可是每个生日都只有一束花，就有点微妙了。若是女朋友天天缠着他送奢侈品，那说她物质便无可厚非，可是生日一年不过一次，哪怕收入不高，咬咬牙也不存在买不起的情况啊。

别人努力送给你最好的，你的回报却一成不变，其中的浪漫和惊喜也早就随着时间一起消磨了。

礼尚往来古来有之，可不仅在人情往来上有效，情侣与夫妻之间更不应忘记这个守则。因为只有这样，才能清楚地看到对方的付出，才能想着，我要回报对方的感情，我想做得更好。

“物质不代表我爱她的程度，感情怎么能用这么简单的方式衡量呢？”如大宝一类的人总会振振有词的这样说。

物质的确不能成为衡量感情的唯一准绳，不能看出一个人有多爱你，但是看物质，一定能够看出一个人有多不爱你。因为不爱你的人，一定舍不得为你付出太多，恨不得什么事情都让你一个人承担，爱你的人则是将“让你过上更好的日子”这个责任扛在肩上，负重前行。

我不知道大宝有没有理解我说的话，不过我想，如果他的心态没有扭转过来的话，两个人终究会分手，正好应了那句话："一别两宽，各生欢喜。"

也有人说，现在可以同甘的人很多，但是能共苦的人却太少了。比如说相亲对象上门，一看家在农村，房子老旧，就摇摇头说不行。我觉得也未必是不能共苦，人家只是不能接受一直苦，看不见半点生活甜蜜的希望。既然如此，他们为什么要共苦呢？

别忘了，共苦是为了以后的好生活，没有人想要在苦日子里煎熬一辈子的。

好友阿俊在今年情人节的时候和相恋七年的女友结婚了，婚礼上这对新人笑容灿烂，接受来自大家的祝福。

可是谁能想到，一开始，女方的家里无论如何也不愿意接受阿俊，希望他们早早分手？很多人都以为他们迟早要分手，但是经过七年的恋爱长跑，他们却修成了正果。

阿俊和女友在大学期间就谈起了恋爱，两个人的关系一向稳定，只是毕业之后准备结婚了，他们却遇到了难题：两个人的家庭相差太大了。阿俊老家在农村，父亲是个酒鬼，大学四年的学费和生活费基本都是靠他自己的奖学金和勤工俭学。而女友的父亲是国企退休员工，母亲是高校讲师。

女友的父母不算是特别保守，没有非要讲究门当户对，但是他们很清楚，阿俊家庭的那个情况，自己家孩子嫁过去肯定要受苦。现在有爱情作为支撑，可等以后柴米油盐多了，她就会明白，爱情不是婚姻的基石。他们宁愿当那个拆散姻缘的人，也不希望她日后后悔。

有一段时间阿俊自己都想放弃了，因为他知道女友父母说的很有道理，他不能给她提供好的物质条件，如果真的爱她，就不该眼睁睁地看着她跟着自己一起受苦。可是女友还没有放弃，她说："现在就说放弃，根本就是在逃避，你说过会让我过上更好的日子，那就证明给我看。"

连女友都没有放弃，阿俊又怎么甘心就这么分手？

工作之后他比谁都卖命，每天都在跑业务，拓宽服装的销量。客户有什么需求，他一一满足，或者早早做好准备，让很多人都放心跟他合作。

两年后，阿俊存下了房子的首付，又过了一年，他也攒够了结婚的钱。准备了一下，他向女友提出了求婚，女友答应了，而她父母自然也无话可说了，这么多年两个人都没有分开，而他对她的好，大家都看在眼里。

从零到一，原来也不是那么困难，事业有成，家庭圆满，阿俊自己的家里无法给他任何帮助，可是靠自己的努力，他做到了这一步。一个有责任感、有担当的人，再怎么落魄，也总会有发光的时候，哪怕晚一点也没关系，因为这一天终将来到。

在婚礼上阿俊的女友，现在应该说是阿俊的妻子了，她说起了这么一件事。

当时他们还没有在一起，两人都在学生会，学生会组织团建，去山上看日出。阿俊负责登记人员，一般人可能做好报名工作就好了，其他事情跟他没什么关系，可是他很细心地把登山可能需要的东西、可能会遇到的情况都列了出来，还给报名的人一张单子，让他们把要带的东西带齐。

细节看人品，从小事上就能看出一个人的认真和负责，当时她就留意到阿俊了。后来一相处，发现他果然如此。无论眼前的生活多么困苦，他都会竭尽全力给她最好的。

在抱怨别人不能与你同甘共苦的时候不妨想想，你是真的想要努力给对方一个灿烂人生，还是单纯地想找个人陪你在泥泞中前行？如果是前者，别担心，因为总有人会看到你的责任感散发出来的光芒，如果是后者，那我只能祝你好运。

责任这个词，看似简简单单，可是它所代表的含义却并不简单，它要求你背上该背负的责任，负重前行，绝不是看到了一块石头，就摇头说，过不去了，也绝不是累了之后，就将这个包袱往旁边一丢，说，到这里就差不多了。

只有会发光的人，才能将责任感贯彻始终。

最长久的坚持，源于热爱

想起家乡那边有一位老人，最擅长木雕，一手刀工出神入化，小小的一个木雕，在他的手上如同被施过魔法一般，纹理毕现，就连最细微的地方都将逼真两字贯彻到底。他不收徒弟，也不卖木雕，平时就坐在自家的院子里晒太阳，和普通的老人没什么两样。

小时候不知道这门手艺的重要性，到后来觉得老人的手艺和外面的那些大师比起来也差不了多少，就忍不住问他，为什么不把木雕拿出去卖，把它们丢在屋子的角落里落灰，未免也太过可惜了。

老人摆摆手，他以前就是一个农民，从没想过要靠卖木雕赚钱，这单纯就是自己的一个爱好，因为喜欢，所以他愿意花大量的时间去琢磨怎样把木头雕得更好，什么样的木头更适合什么样的纹理等等。以前家里人还说他不务正业，不让他雕了，可是他脑子里总记挂着这件事，吃饭的时候想，睡觉的时候想，趁家人不注意的时候就偷偷地练习。

最后家人也拿他没办法，就只能随他去了，只要不耽误农忙就行。他不知道什么是艺术，也不知道这能换钱，只知道这么做的时候，他能感到开心。年纪渐渐大了，很多活都做不来了，但他还是会花大把的时间在这上面。

“你喜欢做这件事，就自然而然地会在这件事上面花很多时间，不需要有人去监督，反倒是你自己不去做，心里倒会觉得空落落的，好像有什么事情没有完成似的。”老人说。到了他这个年纪，已经不需要再为钱和名奔波了，就图一个痛快而已。

专注于一件事情时间久了，什么都会成了艺术。你觉得日复一日地做一件事是枯燥，可是在他们的眼里，专注地做这件事的时候，每分每秒都充满了美感，又怎么会觉得厌倦?

认识苏苏是很多年前的事情了，那时候我会接一些简单的笔译的活儿，对字幕组也挺感兴趣的，苏苏正好就是当时一个“野生”字幕组的组长。当时这个字幕组单纯因爱好而生，一年都做不出几个作品来，没有什么人气可言。

但是苏苏却野心勃勃，想要将字幕组发扬光大。很多人都不看好她，毕竟她这里要资金没资金，好的翻译和剪辑师都会去更好的字幕组发展。她对自己很有信心，她相信只要去做，去花时间和精力，总会好起来的。

当然有人会笑苏苏这是年少的热血，过段时间就会被现实打击，到时候她自己就会放弃。

可是苏苏从来都不是那种会轻易放弃的人，她高中的时候不爱学习，也没有意识到学习的重要性，大学读了一所很一般的三本大学。学校课业不重，她有大把的时间可以用来看电影、看剧。

观影的过程中她发现很多剧目中的字幕翻译得很有问题，要么是词不达意，要么就是翻译腔严重。一开始苏苏还没想过要做字幕组，只是发现学好英语的重要性，这样一来她就能直接看原版剧目了。她将大部分的时间都花在了背单词、练听力上面，刚入门的时候就0.5倍速，后来越来越快，直至看原版电影电视剧都毫无压力。

当我将这件事诉诸文字的时候，会显得这件事情非常简单，似乎随便一个人都能够做到，可这么做的人都明白，这真不是普通人就能做到的事情，至少我认识的几个英语过了专八的人都会觉得吃力。

而当时的苏苏，就连平均水平都无法达到。想要把英语学好，需要付出的努力是别人的好几倍。可她是真心想做这件事，所以不管有多少困难，她都努力克服掉了。

热爱一件事的人，是所向披靡的，在她身上，我就看到了这样的力量。

通过学习英语，苏苏也意识到掌握一门技能的重要性，她发现自己还有很多可以提高的地方，野路子和系统学习的差距还是很大的，后来她便决定去考英语专业的研究生，复习的过程中，她发现自己平时学的英语真的很有用。

她将考研的目标定在了一所双一流高校，因为她觉得更好的学校有更多的资源，可以让她学习到更多东西。事实上也的确如此，可是双一流高校不是你想进就能进的，导师们大都不喜欢出身于太差学校的学生，因为基础不好的学生很难带。即便笔试成绩不错，也可能在复试环节被淘汰。

好在苏苏的听力很好，为了跟上剧目中人物对话的语速，她也会自己练习口语，在面试中的出色表现让她杀出重围，完成了从三流大学到一流高校的逆袭。

那时候她便隐隐约约地明白，当你把一个爱好做到极致的时候，它会成为你手中最锋利的剑。苏苏并没有满足于现状，她自己看原版剧目是没有问题了，可是别人呢？她想自己做字幕组，做比市面上更好的字幕组。

这可不是一个简单的任务，但苏苏之前做的事情，又有哪个是简单的？她对这件事感兴趣，就不会单纯地抱着玩票的心情来看待这件事，玩票是一时兴起，可热爱是一件永久坚持的事情。这种兴趣不会因为暂时受挫就停止，也不会因为前路遥远就变得迷茫。

苏苏在字幕组这件事情上倾入了很多心血，忙起来的时候，她一个人既做翻译又做校对，有时候还顺便做时间轴。她知道现在字幕组规模都比较小，所以刚开始没有直接把摊子开得太大，专做好评率比较高的科幻剧。

她的导师知道她在做的事情之后，也挺感兴趣，问了一下他们的进度之后，还给了不少建议。做字幕组听起来没有口译、出席某些商务会议厉害，可是能够学以致用，就已经是一种很厉害的技能了。

也有人说苏苏不务正业，既然英语学得这么厉害了，怎么不去赚钱？殊不知人家早已确定了导师的一个直博名额，准备继续深造呢。她的字幕组随着时间地发展里也壮大了起来，成为科幻剧字幕组中的标杆，有人想投资、想收购，无一不是被她拒绝了。苏苏不想抛弃做这个字幕组的初心。

去年苏苏作为字幕组组长参加了中国科幻大会，有一个就是对她的访谈，问她是怎么做到今天这种程度的？众所周知的是，很多源于爱好的字幕组，没过多长时间就消失了。

苏苏说："热爱就是发自内心深处的喜欢，从内心发出的声音告诉我不能停下来，要继续坚持下去，一开始我也不知道能做到什么程度，只知道去坚持就对了。"

如果轻易便说放弃，那一定不是热爱。热爱是从心底发出的呐喊，是一旦失去，就会觉得心脏空一块的东西。当你热爱某件事，不管是来自哪里的压力都不能阻止你，它只会将你磨砺得更强、更坚固。

A君曾经向我求助，说："现在我正在做一份薪水很高的工作，但是我不怎么喜欢这份工作，感觉太压抑了，我真正喜欢的是画画，我是不是应该辞职去专职画画？如果辞职，我不知道是否可以保证自己最基础的生活，可是画画又是我真心喜欢的事情，我不想放弃。"

我告诉他，如果有一定的存款，生活压力不大，可以考虑辞职。如果生活压力比较大，不妨将这个事情当成一个永久的爱好来发展，并不是说喜欢做这个事情，就一定非要从事这个事情，真正喜欢的事情，哪怕不是职业，你也会坚持下去的。工作再忙，但是只要你想，总能够抽出时间。

A君考虑了一下，没有立刻辞职，直到他寄给杂志社的封面和插画被采用了，拿到的稿酬还算可以，这个时候他终于向公司递交了辞呈，在家专职做画手，如今的他在圈子里已经小有名气了。

后来他说：“还好当时没有直接辞职，不然我肯定会忙着赚钱，都没有时间去打磨自己的作品，可能也画不出那些还算可以的作品来。”

在爱好和现有工作之间摇摆的人有很多，我也曾收到过许多类似的求助，每个人的情况不同，我给出的建议也是不一样的。有的人可以将爱好发展成自己的职业，最后皆大欢喜，可是也有的人不适合将爱好与职业等同，爱好无法提供生活最基础的物质需求，导致一个人变得焦虑、烦躁、甚至是怀疑自己。

所以热爱某件事，不一定非要将它作为职业，不管你正在做什么，热爱都会让你继续坚持。名和利不是目的，回应内心的那个声音才是最终目的，或许在这个过程中，你收获了其他物质上的成就，可是千万别忘了最开始的坚持，源于与功利无关的热爱。

后记

愿你自由自在，且不被辜负

我要先跟大家道个歉，很抱歉，我的人生，没有大家想象中的那么波澜壮阔，也没办法给大家提供一个走上人生巅峰的模板。和很多人一样，我也要经历在泥泞中挣扎，然后跌跌撞撞地往前走。

如果你们想看到如超人一样的故事，那你可能要失望了，过去的我不是，现在的我不是，未来成为超人的希望也十分渺茫，既无法从天而降拯救你于水火，也无法告诉你，别害怕，总有一天你能拿到金手指。

正在阅读这本书的你，总有一天会明白，再多的鸡汤，对你的人生依旧没有什么用。你想参考着别人的发展模式，最后却发现，模板始终是模板，你永远都无法成为那样的人。于是你忍不住开始怀疑，到底是哪个环节出了问题，还是说从一开始你就拿着失败者的剧本做参考，无论怎么挣扎都逃不出既定的结局？

你不再相信鸡汤，不再相信励志，觉得这些都不过是一群站着说话不腰疼的人给你画的大饼。

我不想给你画大饼，我和你一样，和大部分人一样，只是个普通人而已。

我有很多很多的恐惧。我不喜欢医院,去年年底做一个小手术，就自己躲在洗手间偷偷地哭，回头怕被人发现自己露怯，又假装出关羽刮骨疗伤的那种谈笑风生的风范。我有过迷茫，怀疑手上这份工作给我带来的价值，也有过干脆一走了之的念头，却又惶恐离开之后未来该何去何从，而因为这份犹豫留下的我，本质上跟与平庸妥协并无区别。

因为为了生存的我,丢掉了那份热血。我曾以为我能无所畏惧，后来才发现自己极为投鼠忌器，甚至是“拔剑四顾心茫然”。

可是最终,我还是会从糟糕的状态中走出来,因为去寻找价值、去思索的我，绝不会将自己束缚于负面情绪中，我会想着去反抗，去改变，不知不觉中便走到了今天。人本身的力量是那么的渺小，可是在必要的时候，又能够绽放出不可思议的力量。

大家对超人的力量习以为常,却将普通人的力量称为“奇迹”。

我曾听到过这样一句话：真正的勇敢，并不是无所畏惧，而是明明有所恐惧，却还要勇往直前。这就是许许多多的普通人正在做的事情，折戟沉舟、未来风向不明，极可能是惊涛骇浪，可是拾掇拾掇，他们决定继续前行。

也许你的人生，正处在一种起起落落的不稳定状态，生活的颠沛流离让你尝遍了人生的艰辛。可是别着急，也别丧气，不是每个人都能活得像范本一样光芒万丈，但这些艰难永远无法掩盖你的精彩。

从我身上，读者们或许看不到太多的力量。反而在你们身上，那种力量却更为明显。

谁不曾在深夜痛哭？可是哭完之后，第二天依旧会画一个美美的妆容去上班，做一个无懈可击的职场人。哭过闹过，却没有人会轻易地说放弃。

谁不曾自我怀疑过，怀疑自己做出的决定，怀疑自身的价值？可是在怀疑之后，无论是调整还是继续坚持，都会变得更加坚定，你知道自己想要什么，知道自己走向何方，也许这一路注定不是什么坦途，那又有什么关系呢？那些没能打倒你的事情，会让你变得更加强大。

我所看到的普通人的人生，都无法做到十全十美，没有缺憾。他们用他们的血肉之躯，与残酷的世事对抗，也许会是伤痕累累，可他们却在这痛苦中变得更好、更强。

我所写的故事，都是些普通人的故事，他们淹没在人潮里，普普通通，可是当你注意到他时，你就会发现，来自他身上的力量一点儿都不渺小，一点儿都不普通。没有那些范本和模板的高大上，可是因为真实，所以才有更多的共鸣。

如果这本书能够给予你一丝力量，带你走出泥泞，那我会感到很高兴，我的目的已经达到了！毕竟我相信，真正的力量，藏于你心，只要你愿意，你就会拥有。

随风

2019年3月4日于浙江